アドレスフリーという働き方

なぜ「好きな場所」で仕事をすると　成果が上がるのか

クオリティソフト 代表取締役 CEO
浦 聖治
Ura Kiyoharu

光文社

はじめに

若者はお金よりもワクワクで会社を選ぶ

本書を手にとっていただきありがとうございます。

あなたは会社を選ぶとき、どんなことを気にしますか？

給料の額、企業のブランド力が頭に浮かんだなら、あなたはきっと30代以降でしょう。

というのも今、20代の若者の就職に対する意識が激変しているからです。

学情が２０２３年度卒業予定の大学生・大学院生を対象に実施した調査によると、就職活動の企業選びで「給料の高さ」を重視する人はわずか17・３％でした。

これを見ると、給料などの待遇で釣ろうとしても、今の学生の８割以上は見向きもしないということになります。

一方で「企業のビジョンやパーパス」を重視すると回答した学生は、実に78・4％にものぼったのです。

パーパスとは、企業の「存在意義」のこと。

「経営理念」に近い概念ですが、社会とのつながりをより明確にしたものです。この流れを受けて、すでに経営理念を掲げている企業が新たにパーパスを制定する動きが加速しています。

その会社のパーパスにワクワクを感じられるのか？

この傾向は、就職人気企業ランキングにも表れています。

かつて上位には、メガバンクや大手総合商社、大手電機メーカーの名がズラリと並んでいました。

ところが、２０２０年以降、オリエンタルランドやソニーミュージックグループ、バンダイ、講談社といったエンタメ系の企業が目立つようになりました。

お金で釣られる時代から、ワクワクに魅了される時代へ――

若者たちの意識はドラスティックに変化しています。
といっても、人によってワクワクポイントは異なります。
ある人は、仕事そのものの面白さに、
ある人は、社会貢献度の高さに、
ある人は、働く場所に、
ある人は、働く時間の自由さに、
自分らしさを求めるようになっているのです。

それでは、どうすれば自分自身がワクワクする仕事を手にできるのでしょうか？
その答えを知りたい方は、ぜひ本書をめくってみてください。あなたの志向や能力を生かして、より自由に働ける方法をご紹介していきます。

20年続く企業は0・3％しかない

はじめまして、私はクオリティソフトの代表取締役CEOの浦聖治《うらきよはる》と申します。

クオリティソフトは、企業向けのIT資産管理のクラウドサービスやドローンビジネスを手がけるIT企業です。

クライアントは、大手から中小まで8万社以上。

たとえば、大手電機メーカーの12万台のPCの管理にクオリティソフトのクラウド型IT資産管理ツールが使われています。

私がクオリティソフトを起業したのは、今から40年前の1984年のことでした。

もともとは翻訳会社で、コンピュータを使った独自の手法を駆使して、「速い・うまい・安い」が売りの翻訳サービスを提供していました。

しかし、90年代に入って翻訳業界の将来に限界を感じるようになり、ソフトウェア販売・開発へと大転換をしたのです。当時はまさかAI翻訳が今のように発展しているとは想像もつきませんでしたが。

まだクラウドが今ほど普及していなかった2007年、いち早くソフトウェアをインターネット経由で提供するスタイルに移行しました。

サブスクリプション（サブスク）という言葉がまだ知られていなかった2010年には「売り切り型」ではなく、「定額課金型」のサービスをスタートさせています。

さらに、最近では「空飛ぶIoT」と呼ばれるドローンビジネスにも力を入れています。このドローンビジネスでも、クラウドでドローンの運用を管理する最新システムなどを手がけています。


クオリティソフトは、挑戦を恐れず、大胆に変化することによって成長し続けてきた会社です。

2024年に創業40周年を迎えますが、日本にはもっと歴史の長い企業が数多くあります。世界の100年企業のうち、約50％が日本にあるといわれているほどです（100年企業とは、創業から100年以上が経過した企業のこと）。

いずれにしても、企業が長生きするのは容易ではありません。

実は、クオリティソフトの半分、つまり20年続く会社は、わずか0・3％しかないのです（『日経ビジネス』2017年3月21日　慶応ビジネス・スクール EXECUTIVE『『創業20年後の生存率0・3％』を乗り越えるには』）。

アドレスフリー＝夢を叶えるワークスタイル

会社を立ち上げて40年間、私は、目まぐるしく変わる市場の変化を踏まえながら、「新しいビジネスの種はないか」「社員がイキイキと楽しく働ける仕組みはどんなものか」と常にアンテナを張り巡らせてきました。

その結果、働く人が給料の高さよりもワクワクを求める時代にふさわしい次世代のワークスタイルに至ったのです。

それは、

「アドレスフリー」

という働き方です。

アドレスフリーの「アドレス」は住所、「フリー」はシュガーフリー、バリアフリーなどの「フリー」と同じで「束縛《そくばく》されない」「自由である」という意味です。「フリーアドレス」という言葉をみなさんも一度は耳にしたことがあるでしょう。オフィス内で固定した席を決めず、それぞれが好きな席で働くワークスタイルのことです。近年、このフリーアドレスを導入する企業が増えてきました。

しかし、フリーアドレスは、アドレスフリーのごく一部の構成要素にすぎません。アドレスフリーでは、オフィス内の席にとどまらず、社内外、さらに海外を含めたあらゆる場所が含まれます。つまり、場所に縛られないということ。そして、それにとどまらず、時間、役職、そして固定観念にさえ縛られない自由な働き方が可能になるのです。アドレスフリーこそが、あなたのワクワクを最大化し、仕事を通して夢を叶えるワークスタイルといっていいでしょう。

海でも、山でも、街でも、好きな土地で輝く

週末の早朝、都心から奥多摩や山梨、秩父といった郊外へと向かう電車は、まるで通勤ラッシュ時のように混み合っています。

登山などのアウトドアを楽しむ人たちの大移動が起きるからです。

かつては登山といえば中高年の独壇場でしたが、今は若者たちの間でもキャンプやグランピングが大流行。都会暮らしの人たちは、わざわざ何時間もかけて満員電車に揺られなければ、アウトドアを楽しめないのです。

釣りマニアも同じです。都会に住む人の多くは、クルマで数時間かけて海や渓流に出かけなければなりません。


ここで発想を転換してみましょう。

もし、あなたのオフィスが山の麓《ふもと》にあったら。

もし、海岸沿いにオフィスがあったら。

山好きも、釣り好きも、どんなに趣味を満喫できることでしょうか。

プライベートが充実することによって、仕事への集中力もアップして、生産性が見違えるように上がるはずです。

これは、おとぎ話ではなく、現実のものとなりつつあります。

コロナ禍の2020年から翌21年にかけて、本社を地方に移転する企業が相次ぎました。帝国データバンクの調べによると、東京から地方に本社を移転した企業は21年は351社と1990年の調査以来、過去最多の数。22年も335社にのぼりました。

よく知られているのが、兵庫県の淡路島に本社主要機能を移転したパソナグループです。総合エンターテインメント企業のアミューズは山梨県の富士山麓《ろく》へ、紅茶のルピシアは北海道のニセコへと本社機能の一部を移転しました。

ヤフーは居住地制限を撤廃して、飛行機通勤をOKにしました。テレワークはすでに多くの企業が導入しています。

今、働く場所の多様化が急ピッチで進んでいるのです。

私はこの動きが始まるずっと前から、働く人が自分の好きな場所で働ける時代が来ると確信していました。

だからクオリティソフトも、なるべく日本各地のバラエティに富んだ場所に拠点を構えるようにしました。

本社があるのは、関西屈指のビーチリゾート、和歌山県の南紀白浜《なんきしらはま》。本社の裏庭にはビーチが広がっています。釣りやマリンスポーツが好きな人にはたまらないロケーションです。

日本アルプス山麓の長野県松本市にもオフィスがあります。ここは山好き、キャンプ好きなどアウトドア派にピッタリです。

杜《もり》の都《みやこ》・仙台にもオフィスがあります。仙台は夏は海水浴、冬はスキーを近場で楽しめる日本でも数少ない100万都市（人口100万人以上の都市）です。

といっても、誰もが地方暮らしに憧れるわけではありません。大都会で働きたい人もいるでしょう。

クオリティソフトは東京・大阪・名古屋といった大都会にもオフィスを構えています。自分の趣味やライフスタイルに合わせて、好きな場所を選んで仕事ができるのです。

海でも、山でも、街でも――

自分の気に入った土地で、ストレスなくのびのび働くのがこれからのワークスタイルだと考えています。


アドレスフリーは、どうすれば実現するのか？

どうすれば自分が求めるワークスタイルを手に入れられるのか？

これからはどんな会社を選べばいいのか？


本書を手に取ってくださったあなた自身が自分の望む場所で、ワクワクしながら輝けるように――

本書で提案するアドレスフリーという働き方をぜひ参考にしてみてください。

2024年1月

浦 聖治

目次

第4章 自分を成長させる会社の見つけ方

第6章　都会と地方、あなたはどちらで働きますか？

第7章　会社の中に活躍の場を見つける

第8章 カムイ・パパイヤ・アホーイヤで人生は日本晴れ 221

カバーデザイン／松沢順一郎
本文デザイン／石川直美
出版プロデュース／株式会社天才工場 吉田浩
編集協力／上村雅代、山口慎治
図版作成／デマンド

第1章

アドレスフリーという新しい働き方

時間と場所から自由になりたい若者たち

「24時間戦えますか」

これは、バブル絶頂の1989年に大ヒットした栄養ドリンク「リゲイン」のCMが流行《はや》らせた言葉です。昭和のモーレツ社員を象徴するようなフレーズで、団塊世代のおじさんたちはきっと懐かしいと思うことでしょう。

もし今、こんなCMを流したら、たちまち企業はブラック認定されてSNSで大炎上すること間違いありません。

昭和の日本は、長時間労働が当たり前でした。「1年で2日しか休まなかった」「週に2日徹夜した」「今週は家に帰っていない」といったハードワークが武勇伝としてまかり通っていたのです。長時間働くことに価値があると見なされていました。努力・根性・一生懸命がモーレツ社員の金科玉条だったのです。

しかし、今は違います。

インターネットの転職ナビサイトを見てみると、今の求職者の志向がよくわかります。


「完全週休2日制」

「年間休日120日以上」

「残業月平均10時間以下」

「有休消化率8割以上」


こういったフレーズが、これでもかと並んでいるのです。

これとは対照的に、

「頑張った分だけ稼げます！」

「年収1000万円も夢じゃない！」

といったフレーズは、皆無。そんなことを書こうものなら、応募者数が激減してしまうからです。

プライベートを犠牲にしてお金を稼ぐというのは、昭和の価値観。令和時代は、プライベートを重視するようになりました。

私自身、若い社員たちを見ていて変化を感じます。

「『9時ピタ』に来て、『6時ピタ』に帰りたい」

「仕事帰りに、上司なんかと飲みに行きたくない」

そんな若手が増えてきました。

フレックス制を導入している当社では、朝7時前に出社して、夕方4時に帰る若手もいます。社員は、自分の好きな時間を選んで仕事をしているのです。

ランチを取ると眠くなる午後よりも午前中のほうが集中できて、高いパフォーマンスを発揮できるのであれば、私はそれでいいと思っています。

時間だけでなく、「場所」からの解放も進んでいます。

ユニクロや吉野家、マクドナルド、タリーズなど、大手企業が次々と「エリア限定社員」という制度を取り入れています。これは、自分が希望する地域限定で働けて、転勤のない社員です。

NTTグループや富士通、JTBなどは、社員が望まない転勤を廃止する方向で動いています。

時代とともに若者の働くモチベーションや意識は大きく変わってきました。企業の側からすると、社員が主体的に働く場所を選べるようにしなければ、人を集めることができなくなったのです。

24時間働くモーレツ社員はとっくに時代遅れになりました。それどころか働く時間と場所を会社が決める時代すら終わろうとしています。

この流れが逆行することはまずないでしょう。

時間も場所も自分自身で決めるのが、これからの働き方なのです。

日本は豊かなのに、なぜ貧しい暮らしをしているのか？

「働く場所」というと、これまでは都会をイメージする人が多かったと思います。

地方で生まれ育っても、大学進学や就職を機に都会へ出て行く人が少なくありません。というのも、地方と比べれば、都会のほうが仕事の選択肢が圧倒的に多いからです。就職先の人気企業ランキングの上位100社の大半が本社を東京に置いています。クオリティソフトが属しているIT業界でも、ITエンジニアの仕事は圧倒的に東京が多い。最先端の開発がやりたければ、東京に出るか、さらに志が高い人材なら海外を目指すことでしょう。

若い人が都会に出て行くのは、何も今に始まった話ではありません。私自身、国立和歌山工業高等専門学校を卒業した後、地元に残らず東京が本社の大手音響機器メーカーに就職しました。今はカーナビやドライブレコーダーで知られていますが、当時はスピーカーをはじめとするオーディオ機器で人気のメーカーでした。

私は埼玉県の川越事業所や東京本社で働いた後、アメリカに研修生として赴任《ふにん》しました。

2年5カ月のアメリカ生活を経て、東京に戻ってきて暮らし始めたときのことです。

「何て日本の生活は貧しいんだろう……」

そう痛感させられました。「うさぎ小屋」と揶揄《やゆ》された狭小の住宅、すし詰めの満員電車、長時間の通勤、排出ガスで淀んだ空気などによって、東京では息苦しい生活を強《し》いられました。

そのころ、日本は高度成長期。すでにアメリカに次いで世界2位の経済大国になっていました。経済レベルではアメリカと遜色《そんしょく》なかったはずです。それなのに、豊かさを謳歌《おうか》するアメリカとはかけ離れた貧弱な生活を送っていたのです。

私は本州最南端、和歌山県串本町出身です。

東京から帰省すると、そこには東京とはまるで異なる豊饒《ほうじょう》な世界が広がっているではありませんか。

海あり、山あり、清流あり、澄んだ空気あり。地元で採れる魚介類や野菜は新鮮で信じられないくらいおいしく感じられました。子どものころは意識していませんでしたが、東京暮らしを経験したことで、日本の田舎の豊かさを改めて思い知らされたのです。

私は勘違いしていました。日本の生活が貧しいのではありません。都会では貧しい生活をせざるをえない。実は、日本全土を見渡すと、とても豊かな国なのです。

世界では、太陽が輝いていても水資源が少ない砂漠地帯もあれば、水が豊かでも晴れの日が少ない国もあります。

しかし、日本は陽の光も水も豊か。四季もあります。マリンスポーツもウインタースポーツも楽しめます。

日本の国土に占める森林の面積は68・4％で、ＯＥＣＤ加盟国ではフィンランドとスウェーデンに次いで第3位（林野庁「世界森林資源評価２０２２」）。森林率の世界平均はわずか30％程度。自然豊かなイメージのあるニュージーランドで約38％。ドイツが約33％、スイスが約32％、アメリカはわずか約30％です。日本は世界的に見ても圧倒的に緑豊かな国なのです。

「**何でこんなに豊かな国なのに、みんな東京に集まって、貧しい生活をしているのだろう……？**」

今から40年以上前、アメリカから帰国した１９７８年にそんな疑問を抱いたことこそ、私が働き方を考えるようになった原点です。

世界の知的産業やブランド企業は〝田舎〟にある

サンフランシスコの南に位置する「シリコンバレー」は、最先端のＩＴ・半導体企業が集積しているエリアとして世界的に知られています。世界中から「我こそは！」とシリコンバレーで名を上げようと、優秀な頭脳が集まってきています。

しかし、もともとは果樹園しかないような田舎でした。

世界を見渡すと、世界的なブランド企業が必ずしも大都会に本拠を構えているわけではありません。むしろ、田舎や小都市に本社を置いているケースが目立ちます。

ライカの本社があるドイツのヴェッツラーは人口約5万人。フェラーリの本社があるイタリアのマラネッロは、人口約2万人。レゴの本社があるデンマークのビルンに至っては人口約7000人。ほかにもイケアやミシュランも地方都市が本拠地です。

アメリカでも、コカ・コーラはアトランタ、マイクロソフトはシアトルと、大手企業の本社は全米各地に分散しています。経済の中心がニューヨークだからといって大手企業の本社が集まっているわけではありません。

「知的産業は自然豊かな場所でやるべきだ」

私が東京で会社を立ち上げたのは1984年のことですが、そのころからそう考えていました。

私は88年ごろに「南紀白浜インテリジェントリゾート構想」なるものを打ち立てて、東京のソフトウェア関連団体や和歌山県白浜町などに働きかけました。すると、

「浦さん、それは面白い。ぜひやろう！」

と、多くの有力者が賛同してくれました。当時の白浜町長とも意気投合しました。

私の会社は当時、年商3000万円ほどとまだ小さなものでしたが、そのうち200万円のなけなしのお金を出資してこの構想をスタートさせました。ところが、残念ながら諸事情によって構想は頓挫《とんざ》してしまったのです。

しかし、私はあきらめませんでした。

私の会社のメインビジネスであるソフトウェア事業にはテスト環境が必要です。しかし、

テストエンジニアを東京で集めるのは容易ではありません。家賃などのコストも高い。それに、東京では人材がなかなか定着しません。

一方で、地方ならテストエンジニアを採用できるのではないかというのが私の考え。不動産も安いので、多くのテストエンジニアが働くスペースを安価で確保できます。私は、長野県や静岡県など、いろんな土地をリサーチしました。その結果、熱心に誘致してくれた和歌山県に拠点を置くことに決めたのです。地方に雇用を生み出すことは、日本を豊かにすることにもつながると考えました。

2001年、南紀白浜に子会社を立ち上げました。

そして2016年には、本社を南紀白浜に移しました。

私はようやく自然豊かな場所に拠点を置くことができたのです。

あなたの働く場所は、海か山か大都会か？

クオリティソフトの幹部には、かつてエプソンに勤めていた人材がいます。彼は若いころ、エプソンの事業所がある長野県の塩尻《しおじり》に住んでいました。

「社長にどうしてもアルプスを見せたい」

彼はそう言って、塩尻からほど近い松本に私を連れて行ってくれました。松本の地にははじめて足を踏み入れた私は即決しました。

「ここにオフィスをつくろう!」

「岳都《がくと》」といわれるだけあって、アルプスを臨む風光明媚《ふうこうめいび》な場所であるだけでなく、街の至る所に湧き水があります。

本社のある南紀白浜は海のそばですが、松本なら山好きに持って来いのオフィスです。しかも、松本は「学都《がくと》」ともいわれるくらい教育熱心な土地柄で、優秀な人材が多い。進学や就職で東京などに出て行っても、いずれUターンで戻ってくる人が多いと聞きました。松本には信州大学のキャンパスもあります。信州大学の優秀な学生にアルバイトに来てもらえるかもしれないという算段もありました。

実際、松本オフィスを開設すると、地元で働きたいという若い優秀な人材が入ってくれました。信州大学の学生もアルバイトに来てくれます。クオリティソフトのコンテンツには、信州大学の学生につくってもらったものが少なくありません。データ分析となると、頭脳明晰《めいせき》な医学部のアルバイトの学生たちは抜群の切れ味を発揮します。

さらに、杜の都と呼ばれる仙台にもオフィスを開きました。

なぜ、仙台を選んだのか？　仙台は東北地方最大の都市で、大学や専門学校が数多く立地しているからです。それに、東北には、東京までは出たくなくても仙台までなら出てもいい、という人が多いと聞きました。仙台で学び、仙台で働きたいという優秀なエンジニアが一定数いるのは間違いありません。

ところが、仙台にはソフトウェア開発の請負型企業はあっても、自社プロダクトを手がけている IT 企業が少ない。それなら、クオリティソフトが自社プロジェクトを手がけたい東北の IT エンジニアの受け皿になれるのではないか、と考えました。

仙台は100万都市でありながら、ビーチあり、温泉あり、スキー場ありと余暇も楽しめる土地。多趣味な人にはおあつらえ向きでしょう。

もちろん、東京や大阪、名古屋という大都会にもオフィスを置いています。

私自身は南紀白浜の本社の近くに自宅を構えています。しかし、大都会暮らしが好きな人もいるでしょう。**海でも山でも大都会でも、これからは自分の好きな土地で働けばいい**というのが私の考えです。

仕事よりも生活を重視する人が増えてきた

かつて日本人は「ワーカホリック」だといわれていました。これは、仕事中毒のこと。自分の健康や趣味を犠牲にしてでも常に働いていなければ気が済まない状態を指します。実際、日本は労働時間が長いとされてきました。

しかし近年、国は大手企業と足並みを揃《そろ》えて「働き方改革」を推進し、労働時間の短縮に取り組んできました。IT業界もこの流れを受け、大規模プロジェクトに参画しているITエンジニアは長時間労働が当たり前でしたが、今は発注元である大手企業の労務管理が厳しくなり、残業が激減しています。ITエンジニアがブラックな仕事だというのは、今は昔の話です。

図１　全就業者平均年間実労働時間世界ランキング（2022年）

順位	国名	単位：時間（h）/年	注
1	コロンビア	2,405	1
2	メキシコ	2,226	
3	コスタリカ	2,149	
4	チリ	1,963	
5	韓国	1,901	
6	イスラエル	1,892	
7	ギリシャ	1,886	
8	マルタ	1,882	
9	ロシア	1,874	2
10	キプロス	1,837	
11	ポーランド	1,815	
12	米国	1,811	
13	クロアチア	1,810	
14	ルーマニア	1,808	
15	エストニア	1,770	
16	チェコ	1,754	
17	ニュージーランド	1,748	
18	トルコ	1,732	1
19	オーストラリア	1,707	
20	ハンガリー	1,700	
21	イタリア	1,694	
22	カナダ	1,686	
23	アイルランド	1,657	
24	スペイン	1,644	
25	ポルトガル	1,635	
26	リトアニア	1,624	
27	スロバキア	1,622	
28	スロベニア	1,619	
29	ブルガリア	1,619	
30	日本	1,607	

出典）OECD調べ
注）１：前年のデータ
　　２：２年前のデータ

日本は働きすぎだから働き方改革を続けているというイメージがあるかもしれませんが、実は、**日本の労働時間はもはや世界的に見て長くはありません**。年間で、お隣の韓国より約300時間、アメリカよりも約200時間短い。お昼休みが長くて労働時間が短いイメージがあるイタリアやスペインよりも短くなりました（前ページ図1参照）。

日本は「働き者の国」というイメージがありましたが、今や「働かない国」になってきているのです。

内閣府の「仕事と生活の調和（ワーク・ライフ・バランス）に関する意識調査」（2020年）によると、プライベートより仕事優先と答えたのはわずか2％でした。98％の人は仕事よりも生活を重視しているのです。「希望とする生活と現実の生活が一致している人」は約15％。8割以上の人はワーク・ライフ・バランスに不満を持っているということです。

SHIBUYA109エンタテイメントの「Z世代の仕事に関する意識調査」によると、「仕事の充実」よりも「プライベートを充実させて生きていきたい」と回答した人は68・1％にのぼりました（図2参照）。一方、「仕事を充実させて生きていきたい」人は31・8

図2　Z世代の仕事に関する意識調査
仕事に関する価値観としてあてはまるものを教えてください（単一回答）

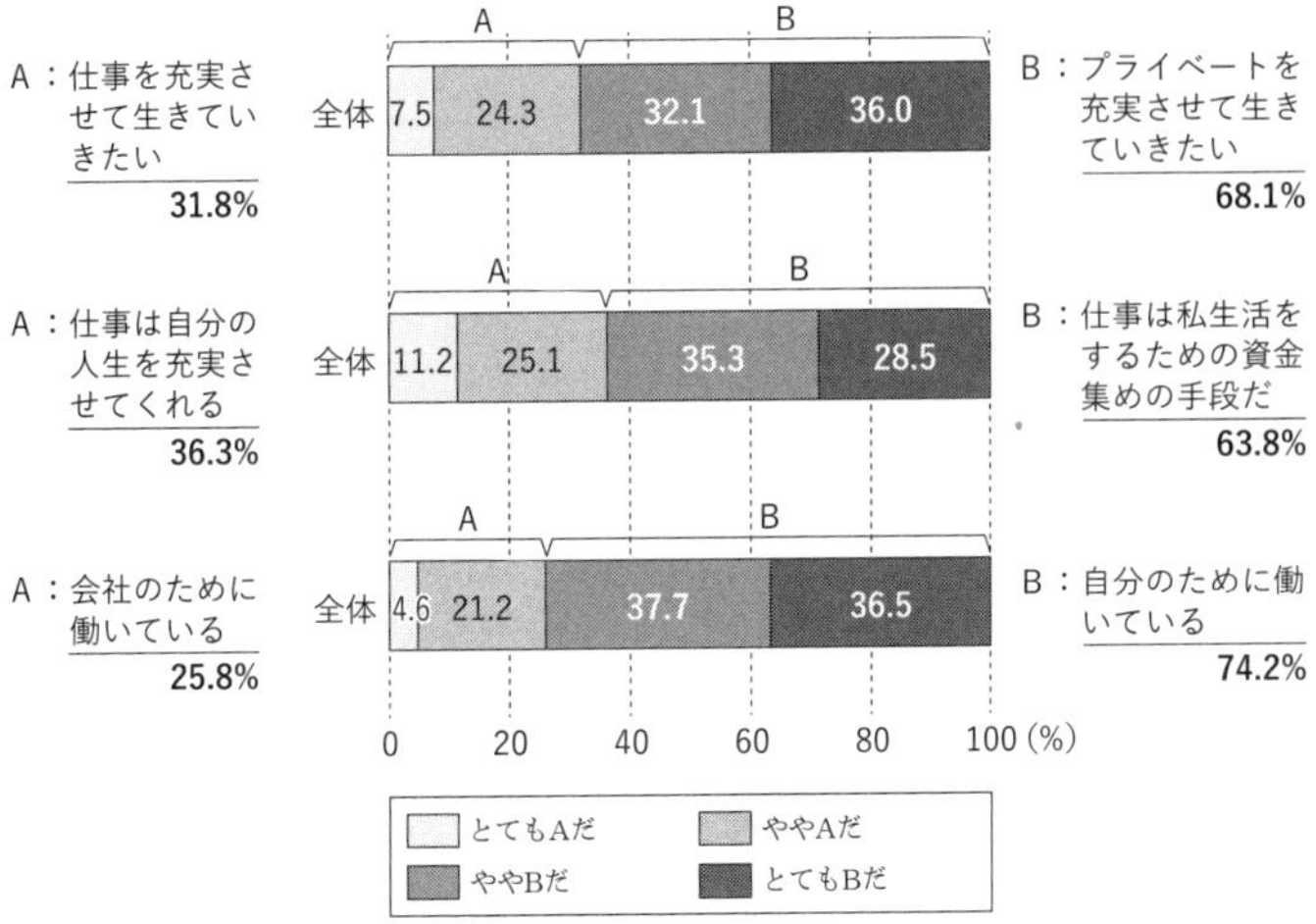

出典）SHIBUYA109 lab.調べ

%にすぎませんでした。

さまざまな調査を見ても、Z世代（1996年ごろから2012年ごろに生まれた世代）は仕事よりも自分の生活を重視していることが読み取れます。

これまでワーク・ライフ・バランスは世の中の変化にともなって新たに手に入れるものでした。

ところが、Z世代にとっては**残業しないのが当たり前、土日は休めるのが当たり前、ワーク・ライフ・バランスが整っていて当たり前**という感覚になってきているのです。

コロナ禍でリモート化が前倒し

２０２０年春からの新型コロナウイルスの感染拡大を受けて、多くの企業がリモートワークを導入しました。とりわけ大手企業の多くはリモートワークへと積極的に移行しました。コロナ禍での東京都内でのリモートワーク導入率は50％以上（国土交通省「令和３年度テレワーク人口実態調査」）。会社によってはフルリモートに移行したケースもありました。

新型コロナの感染症法上の位置づけが5類に移行した２０２３年5月以降、出社への回帰が加速しています。完全出社に戻した会社もあれば、出社は週1～2日という会社もあります。出社が増えても、状況に応じてリモートワークを取り入れたり、顧客とリモートで打ち合わせしたりといったビジネススタイルはすっかり定着しました。

リモートワークの広がりを支えたのは、ＺｏｏｍやＭｉｃｒｏｓｏｆｔ　Ｔｅａｍｓ、Ｇｏｏｇｌｅ　Ｍｅｅｔといったオンライン会議システムです。これらのツールのおかげで誰でも簡単にオンラインミーティングを開けるようになりました。

それに、**オンプレミスからクラウドへ移行する傾向が強くなったのもリモートワークを後押し**しました。

プレミス（premise）とは建物や構内、店内の意味。オンプレミス（on-premise）は、サーバやソフトウェアを自社で運用・管理する方式です。自社運用とも呼ばれます。

一方で、クラウド（cloud）とは早い話が「インターネットの彼方」のような意味合いの言葉で、サーバやソフトウェアを自社で持たずに、インターネットなどのネットワークを経由してサービスを提供します。

クラウドサービスなら、社内にいなくても、自宅でもアプリケーションを使えます。データもクラウド上に保管しているので、ＵＳＢメモリにデータを入れて持ち歩く必要がありません。

これほどリモートワークが定着したのは、ＩＴの力があったからにほかなりません。

一人ひとりが自由に自律して働く「アドレスフリー」

コロナ禍前から「フリーアドレス」を導入している企業が少しずつ増えていました。オフィスの中の好きな場所で働くというこのスタイルは、もはや珍しくありません。

さらにコロナ禍によって、リモートワークが普及しました。クラウドによって、自宅でもオフィスにいるのと同じように仕事ができる環境になったのです。

第4章で詳しく述べますが、リモートワークで失われた雑談を復活させる「マジカブランカ（Magica Blanca）」という独自システムを当社は開発しました。つまり、リモートがリアルに限りなく近づくのです。これによって、社員同士のコミュニケーションの課題も解消されようとしています。

その先にあるワークスタイルこそ、「アドレスフリー」です。

アドレスフリーは私の造語で、次の特徴があります。


本社があるのは、都会でも地方でもかまわない。

拠点も、都会である必要はない。

社員が働くのは、家族との時間や趣味と両立できる好きな場所でいい。

オフィスでも、自宅でも、お気に入りのカフェでもいい。

社員は自分が働きたい場所で働けばいい。

アドレスフリーを実践すれば、場所の拘束だけでなく、時間の拘束からもどんどん解放されていきます。

詳しくは第4章や第7章で説明しますが、タスクそのものをクラウドで管理できれば、9時から18時といった固定した時間で働く必要もなくなります。

朝型の人なら朝働けばいい。

夜型の人なら夜働けばいい。

やることをやっていれば、誰にも文句を言われない。


ここまでくると、正社員や契約社員、業務委託といった雇用形態の垣根すら低くなっていくでしょう。

空間も、時間も、雇用形態も。

あらゆる束縛から解放されて、自律して自由に働くスタイルこそ、アドレスフリーなのです。

オフィスは「働く場所」から「集う場所」へ

「全員が週に最低40時間オフィスにいる必要がある」

２０２２年11月、ツイッター（現・X）のイーロン・マスク執行会長兼ＣＴＯ（Chief Technical Officer＝最高技術責任者）が、社員にそんなメールを送ったことが話題になりました。脱・テレワークを宣言したのです。週40時間といえば、１日８時間。フルタイム出勤しろ、と同義です。

また、スターバックスやディズニーといったアメリカの有名企業が次々とオフィスワークへの回帰を打ち出しました。グーグルやアップルといったＩＴ業界の最先端を走る企業さえも、フルリモートを脱して一定の出社を求めるようになったのです。

コロナ禍によって世界的にリモートワークが普及しましたが、このように急速な揺り戻しが起こったのです。

出社か、在宅か。

この二元論的な議論は不毛だと私はとらえています。アドレスフリーは、リモートワーク至上主義ではありません。リモートワークも選択肢の1つにすぎません。

別にオフィスを撤廃すべきだと言っているわけではありません。むしろ私はオフィスを重視しています。しかし、それは働く場としてではありません。オフィスは人が「集《つど》う場」として機能すべきだというのが私の考えです。

アドレスフリーでどこでも働けるようになれば、オフィスがいらなくなるかといえば、そんなことはないのです。

現に、クオリティソフトは南紀白浜に約1万8000坪、約5万9500平米という広大な敷地の本社を構えています。

私は、人が集まることも大切だと思っています。**人が集まるところに新しいビジネスの種が生まれる**からです。

学生時代、部室やたまり場といった空間があったでしょう。

こうした空間があることによって、人は安心感や自己肯定感が高まるのです。

イノベーション・スプリングス

これからのオフィスは、集う場所としての役割が大きくなっていくはずです。

「多次元交流」が新たなアイデアを生み出す

クオリティソフトの白浜本社を訪れる人は、みなさん一様に驚かれます。というのも、社員にとどまらず、いろんな人たちが集まる場になっているからです。

「INNOVATION SPRINGS（イノベーション・スプリングス）」

私は、この場所をそう名づけました。

「くおり亭」のランチ

アメリカのサンタクララ・バレーにシリコンバレーができたように、温泉地である白浜、すなわちシラハマ・スプリングスにイノベーションあふれる泉をつくりたいというのがこの名の由来です。

1階の社員食堂「くおり亭」は、一般の方々にも開放しています。ここでちょっとしたコンサートを開くと、一般の方々で席が埋まってしまうくらい大盛況。社員たちは「社員食堂なのに、自分たちが入れない……」とこぼしますが、地域の人たちに喜んでいただけるなら、それでいいと私は考えています。

2階には宿泊施設（10室）もあります。これは、大手旅行サイトから予約可能。コワーキングスペースがあるので、ワーケーション（「ワーク」と「バケーション」

を掛け合わせた造語で、リモートで働きながら休暇をとる過ごし方のこと）にもおあつらえ向きです。もちろん、通常の旅行での宿泊も大歓迎しています。

イノベーション・スプリングスでは、さまざまなイベントも開いています。

代表的なものの1つが「スタートアップウィークエンド」です。

これは、アメリカ・シアトル発の世界的な起業体験イベント。これまで全世界で７００0回以上、延べ50万人以上が参加しています。クオリティソフトでは、金曜日から日曜にかけて50〜60人が集まって起業を体験します。

参加者は、近畿圏を中心に東京から九州まで全国各地から集まります。参加者がチームをつくって、日曜日の発表に向けて事業構想を練っていきます。それを発表して順位を付けるのです。

イノベーション・スプリングスでも毎年開いていますが、起業経験者も加わって毎回刺激的なイベントになっています。

ほかにも、日本で初めてひきこもり当事者も参加する「ひきこもりハッカソン」というイベントも開きました。ハッカソンとは、ハックとマラソンを掛け合わせた造語。ハックとはＩＴエンジニアが没頭して何かをつくることを意味します。これは、スタートアップウィークエンドのＩＴ寄りのイベントといったところです。

人が集まるところに情報が集まります。
情報が集まるところで、何かが起きます。
新しいビジネスの種が生まれ、それを一緒に進めていく仲間が集まってくるのです。

アドレスフリーが進んでいくと、オフィスは社員だけの空間ではなくなります。いわばオフィスのフリー化です。社員か社員ではないかといった立場の違いを越えて、いろんな人たちが有機的につながれる空間へと機能が変わっていくのです。

第2章

ワクワクする会社がやっている7つのルール

7つのルール

「ワイワイガヤガヤ　面白いことやろう
デカいことやろう　喜んでもらおう！」

これは、クオリティソフトの企業理念の一節。

私の根底にある考えは「**面白いことをやりたい！**」。

できればデカいことをやりたい。

みんなでワイワイガヤガヤ意見を出し合わなければ、仕事していても面白くない。

それに、1人のアイデアには限界があります。ワイガヤしないと、アイデアがスパイラル状に昇華していきません。いろんなアイデアを出し合うからこそ、面白くてデカいことができるのです。

それがお金になるかどうかは二の次、三の次。まずはみんなで面白がることから、新しいアイデアが生まれ、新しい価値が生まれるのです。面白くなければ、頑張れません。いいものができません。

アドレスフリーには、物理的な自由のみならず、心置きなく意見を言える心理的な自由も含まれているのです。


たとえば、第1章で触れたクオリティソフト独自の「マジカブランカ」というシステムを使った「マジックカフェ」のアイデアを練っていたときのことです。ワイガヤしていたら、

「モニターは、横型じゃなくて縦型にしたほうがいいんじゃないの？」

「コーヒーを無料にしないと、誰も行かないよね」

などと、いろんな意見が飛び出しました。


1人で考えられることなんて些細《ささい》なものです。

いろんな人が考えれば、大きな力になるのです。

みんな考え方や思いが違います。「自分ならこういうのが面白いな」というのを躊躇《ちゅうちょ》せずに言える環境が大事なのです。アドレスフリーとは、そのための働き方でもあるのです。

ただし、自分の意見を言うと、「じゃ、お前がやれ」と丸投げされるのはよくある話。いわゆる「言ったもん負け」の状態です。やりたくないことを押しつけられると思うと、誰も意見を言わなくなります。

しかし、ワイガヤなら違います。自分が面白いと思えることを発言するのですから、「言ったもん勝ち」でやりたいことができるのです。ワイワイガヤガヤ意見を出し合えるなら、楽しく自由に働けるはずです。

それでは、どういう会社ならワイガヤしながらワクワクした仕事ができるのでしょうか？　次の7つのことをやっている会社なら、きっとワクワク働けるはずです。

ルール1　地域の幸せに貢献する
ルール2　外部の人ともワイガヤする
ルール3　多様な人から「本音」を聞く
ルール4　世界の最先端と臆《おく》せずつながる

ルール5　担当外のことに果敢に挑戦する
ルール6　未来思考を徹底する
ルール7　社内を地域に開放する

それでは、7つのルールについて詳しく見ていきましょう。

ルール1　地域の幸せに貢献する

クオリティソフトの本社がある南紀白浜は、奈良時代から温泉地として知られていました。

古くから都との行き来があった南紀白浜には、いくつもの伝説が残っています。

その1つが「真白良媛《ましららひめ》」の物語。

真白良媛という美しい娘が都から来た若者と恋に落ちました。

「この一対の貝をお互いと思って大切にしよう。必ず戻ってくる」

若者は、そう言い残して都にいったん戻りました。

この若者こそ、孝徳《こうとく》天皇の皇子《みこ》として生まれながら、大化の改新期の政争に巻き込まれて処刑された有間皇子《ありまのみこ》でした。

皇子は二度と白浜に戻ってこられなかったのです。

時を経て、白浜で珍しい一対の貝が見つかりました。

人々は、これは2人が永遠の愛を語り合ったときに手にした貝に違いないと考えました。

白浜のあるお寺には、今でもこの一対の貝が展示されています。

白浜は1000年以上も前から、永遠の愛を誓い合う場所だったのです。

まぶしいほど白く輝く白浜は、本州で最もきれいなビーチの1つ。

あの、世界的に有名なハワイのワイキキビーチと友好姉妹浜という提携関係にあるくらいです。

そんな場所で出会った現代の2人がドローンを飛ばして、上空から自分たちを撮影する。

もし、そんなことができたら、すてきだと思いませんか?

実はこれ、実際に白浜の絶景ビーチで実現していることです。

近年、地方では婚活イベントが花盛り。

出会いの場の創出や地域の活性化の起爆剤として、各地で自治体主催の婚活イベントや街コンが開かれています。

白浜でも自治体などによるビーチでの婚活イベントが開かれていますが、人があまり集まらないケースもあるようです。

「浦さん、行政がやってもうまくいかないので、白浜で婚活イベントをやってくれない？」

あるとき、そんな依頼が舞い込みました。

人が集まる所でイノベーションが生まれるというのが私の考え。二つ返事で引き受けました。

クオリティソフトが浜コンを主宰すると、常に50人は参加する人気イベントに変貌《へんぼう》を遂《と》げました。

というのも、最先端のＩＴ企業ならではの雰囲気づくりや仕掛けがあるからです。

その1つがドローン撮影です。

これができるのは、クオリティソフトがテクノロジーを生かしたドローン事業に力を入れているからです。


白浜では、海から朝日が昇りません。紀伊半島の西側に位置しているため、朝日が昇るのは山側。その代わり、夕日が海のど真ん中に沈んでいきます。

これがたまらなく幻想的。

信心深い中高年は早朝のビーチを散歩して日の出をありがたく拝みますが、若いカップルが愛を語り合うのは夕暮れです。

夕日が飛びぬけて美しいからこそ、婚活イベントにふさわしい場所なのです。


あなたも白浜に宿泊すると、あることに気づくかもしれません。

午前零時、「砂浜にペットを入れないでください」と、屋外スピーカーから町内放送が流れます。砂浜で犬や猫が糞をしないように、町ぐるみで注意喚起しているのです。

それくらい本気になって、町ぐるみで白浜の美しいビーチを守っています。

そんな場所でドローンを飛ばして、幸せな自分たちを空から撮影するという「非日常」を味わえるのです。

有間皇子と真白良媛は結ばれませんでしたが、当社には浜コンでの出会いがきっかけで結ばれた夫婦が何組かいます。

地域活性化に貢献すること、そして誰もやっていないことに挑戦することが、めぐりめぐって社員の幸せにもつながっているのです。

ルール2　外部の人ともワイガヤする

「父がスピーカーをつくったんです」

あるとき、うちの社員が私にそう話しかけてきました。詳しく聞いてみると、その父親は元エプソンの技術者だとか。私が音響機器メーカーの出身だと知った父親が「ちょっと浦社長に音を聞いてほしい」と相談を持ちかけてきたのです。

そのスピーカーは、クリアに遠くまで音が届くスグレモノ。父親は市場に出して販売したいという意向でした。しかし、さすがに商業ベースに乗せるのは難しいというのが私の判断。私は大学の先生に紹介するなど、活用方法を模索しました。

これとは別に、一般にも開放している社員食堂「くおり亭」にたまたまエフエム和歌山の社長がお見えになっていたときのこと。雑談の中で、AIのアナウンサーシステムを導入しているという話が耳に留まりました。真夜中の災害時、たとえアナウンサーが不在でも、AIがアナウンスしてくれるシステムだというのです。しかも、数カ国語に翻訳してアナウンスできるとのことでした。

さらにまた別のとき、白浜町役場の職員が「くおり亭」で食事をしていて、「防災放送が聞こえにくくて困っている」という話も耳にしました。

私の頭の中で「遠くまで音が届くスピーカー」「AIアナウンサー」「防災放送」の3つがピッとつながりました。この3つにクオリティソフトがすでに始めていたドローンビジネスを絡めれば、面白いことができるはずだ、とひらめいたのです。

こうして誕生した商品が「アナウンサードローン」。

アナウンサードローンとは、上空からリアルタイムの状況を把握《はあく》しながら、スピーカーでアナウンスを発信できるというもの。いわば「しゃべるドローン」です。

似たような商品は他社も手がけていますが、アナウンサードローンの圧倒的な強みはスピーカーの性能の高さ。通常のスピーカーでは上空からの音が聞き取りにくいのですが、アナウンサードローンが搭載しているのは圧電スピーカー。これは「小型・軽量・省電力」で、地上150メートルの地点から300メートル先まで声を届けることができます。省電力なので、他社製品は10分しか飛べないのに対して、アナウンサードローンは40分も飛ばせます。

さらに、アナウンスできるのは日本語だけではありません。英語、中国語、韓国語、フランス語、ドイツ語など、対応言語は実に28カ国語にのぼります。

もちろん、クオリティソフトが得意とするクラウドサービスも活用しています。ドローンからの映像をリアルタイムに多拠点配信して、災害現場でなくてもスマートフォンやタブレットがあればどこにいても状況把握したり、対応を指示したりできるのです。これは、クラウドを専門とするクオリティソフトだからできること。「いつ、誰が、どの機体を、どこで、どのように」飛行させたのかも、すべてクラウド上で管理できます。アナウンサードローンは、すぐにNHKの『クローズアップ現代』で取り上げられ、その後、東京都品川区や栃木県小山市などで導入が進んでいます。

このような圧倒的な性能の独自製品を開発できたのは、イノベーション・スプリングスがいろんな人たちの集う場だからです。**多分野の人たちのアイデアを結集したからこそ、多くの人たちを救う商品を開発できました。**

私は南紀白浜をシリコンバレーのようなイノベーション企業の中心地にしたいと思っています。

ルール3　多様な人から「本音」を聞く

企業が人を集めて会合を開くとなると、社員や顧客、仕入先、株主、あるいは地域といったステークホルダー（利害関係者）が対象なのが一般的です。そういう人たちを呼んでも単なる無駄だと考える人が大半でしょう。ましてや「ライバル会社のユーザーを無料で招待する」と聞いても、想像すらつかないかもしれません。

しかし、クオリティソフトは自社プロダクト以外のユーザー、つまりライバル会社のユーザーも無料で分け隔てなく招待するイベントを開いています。それは「ＰＣ・ネットワークの管理・活用を考える会（ＰＣＮＷ［ＰＣＮｅｔｗｏｒｋ］）」の会合です。

ソフトウェア会社は、自社プロダクトのユーザー会を立ち上げるのが一般的。あるいは、自社製品を売り込むために、見込み客を集めるためのイベントを開催します。

ところが、ＰＣＮＷの勉強会には、クオリティソフトのユーザーかどうかを問わずに参加できるのです。

さかのぼると、ＰＣＮＷを立ち上げたきっかけになったのは、１９９０年代にアップルコンピュータ（当時の社名）から「ＫｅｙＳｅｒｖｅｒ（キーサーバー）」というソフトウェアの日本語化を依頼されたことでした。ついでに販売もやってほしいと声がかかったのです。

少し技術的な話になりますが、ＫｅｙＳｅｒｖｅｒとは、ワープロや表計算といったソフトウェアに錠前を付けるツールです。鍵がないとソフトウェアを動かないようにするのです。ネットワークの特定の場所に鍵箱を置いておいて、鍵を拾ってきたらソフトが動く。鍵がなければ動きません。同時使用ライセンスを発行して、鍵を持っている分だけ動くようにするのです。

たとえば、会社に100台のPCがあるとして、あるソフトを同時に使用するのは10台くらい。多くても20~30台でしょう。余裕を見て30台分のソフトを購入してKeyServerの仕組みを使うと、100台のPCで30台分のソフトを使いまわしにできるのです。ただし、鍵は30個しかないので、31台目は動きません。

なぜ、アップルはこんな錠前を付けたのでしょうか？　当時、マック用ソフトウェアが簡単にコピーできたからです。今の50代以降は覚えているかと思いますが、かつてパソコンソフトはコピーし放題でした。アジアでは、違法コピーのパソコンソフトやゲームソフトが大量に売られていました。全国の県庁や市役所でも違法コピーソフトが蔓延《まんえん》していたくらいです。

アップルは違法コピー防止のためにKeyServerを日本で広めようとしたのです。クオリティソフトはこのKeyServerの日本語化の仕事をアップルから受注し、納品しました。

そしてアップルは、有力な販売代理店各社にＫｅｙＳｅｒｖｅｒの販売を打診しました。ところが、すべて断られたそうです。ソフトウェアに鍵を掛けて同時使用を制限するようなツールを扱ったら、商売がしにくくなると考えたようです。

販売代理店を見つけられないアップルは、日本語化を担当したクオリティソフトに話を持ってきました。

私は2週間考えました。

「待てよ、これからは知的財産の時代が来そうだぞ！」

そんな確信が芽生えました。

「翻訳を続けても未来はない。どうせならソフト販売に挑戦するか！」

これが、翻訳会社からソフト販売会社へ業態転換をするきっかけになったのです。

クオリティソフトはＫｅｙＳｅｒｖｅｒを販売することになり、「ＫｅｙＳｅｒｖｅｒユーザー会」を立ち上げました。すると、大手メーカー系ＩＴ企業などがこぞって参加してくれました。

98年にはマイクロソフトが同時使用ライセンスの終了を宣言し、世界が騒然としました。

１００台のパソコンがあれば、１００のソフトウェアを買いなさい、と言い出したのです。ＫｅｙＳｅｒｖｅｒはソフトの同時使用を管理する仕組み。同時使用自体が禁止されると、ＫｅｙＳｅｒｖｅｒの存在価値はなくなります。ＫｅｙＳｅｒｖｅｒユーザー会の役割はこのときに終わりました。

しかし、せっかく錚々《そうそう》たるＩＴ企業が集まっているのに、解散するのはもったいない。そもそも、企業の情報システム部門、通称「情シス」は「トラブルがないのが当たり前」と見られて大変な思いをしていました。これからもお互いに助け合おうと、「ＰＣ・ネットワークの管理・活用を考える会」へと改組したのです。

今やＰＣＮＷはＫｅｙＳｅｒｖｅｒとは無関係。クオリティソフトのユーザー以外のＩＴ企業も多数参加しています。

ＰＣＮＷのイベントはすべて無料。クオリティソフトがすべて負担しています。

それではなぜ、コストをかけてまでＰＣＮＷを続けているのでしょうか？

多様な人が向こうから来てくれて、「本音」を聞けるからです。

営業活動を考えてみてください。営業担当者が訪問できるのは、１日にせいぜい４社くらいでしょうか。時には断られながらも何とかアポを取り、電車やクルマに乗って、時間とお金をかけて会いに行きます。それでも本音を話してもらえるとは限りません。

しかし、PCNWは4社どころか数多くの企業と接点を持つことができるのです。

しかも、普通、ライバル会社に話を聞くことはできません。ましてやライバル会社は本音を打ち明けてはくれないものです。

PCNWなら、同じ悩みを抱えた人たちばかり。利害関係を越えて、本音でいろんな悩みを打ち明けてくれます。

そうは言っても、PCNWの大会には300人くらい集まるため、クオリティソフトの営業担当者は売り込みに行こうとします。

「ちょっと待て。売り込みに行くな」

と私は止めます。

イノベーション・スプリングスもそうですが、クオリティソフトの役割は場を提供すること。情けは人のためならずではありませんが、多くの人に集まってもらって、役に立つことができれば、めぐりめぐって自分たちのビジネスチャンスが広がるのです。

ルール4　世界の最先端と臆せずつながる

今やあらゆる産業が世界とかかわらずしては成り立ちません。とりわけクオリティソフトが属しているＩＴ業界は、アメリカ勢が技術的にも市場占有度においても圧倒的に先行しています。これを猛スピードで追いかけているのが中国です。

第４章で詳しく触れますが、クラウド基盤は、アマゾンやマイクロソフトが日本でも圧倒的なシェアを占めています。クオリティソフトは、この市場に国産クラウドで立ち向かおうとしています。

そこで、クラウド分野で世界的に著名なクリス・アニズィック氏を和歌山にお招きして講演してもらいました。

クオリティソフトの社員がアメリカに出張したとき、クリス氏に打診したら喜んで来日してくれました。

クリス氏は「クラウド・ネイティブ・コンピューティング・ファンデーション（ＣＮＣＦ）」のＣＴＯ。ＣＮＣＦは世界最大のオープンソースカンファレンスを開催しています。

2022年11月、クオリティソフトは和歌山大学と包括連携協定を締結しました。クラウド人材の育成や災害に強いクラウドソリューションの実現に向けた取り組みを進めていくための協定です。その中に、「レジリエントクラウド共同講座」という経済産業省の採択事業があるのですが、その公開講座にクリス氏が登壇したのです。

クオリティソフトの人とのつながりは、日本にとどまらずに世界へと広がり始めています。

海外にも扉が開かれているからこそ、新しい刺激を受けてデカいことができるのです。

ルール5　担当外のことに果敢に挑戦する

クオリティソフトはオーガニック食材や関連商品を取り扱う「たまな商店」というインターネット通販も手がけています。

2022年のあるとき、有名なタレントとその母親が酵素玄米を食べていることが話題になりました。すると、そこから「たまな商店」で扱っている「簡単酵素玄米」という商品が爆発的に売れ始めたのです。スタッフの手が足りなくなったことから、「チャレンジ48（フォーティーエイト）」で助っ人を募集しました。

チャレンジ48とは、自分の担当以外の仕事や活動を年間48時間やるというもの。もちろん勤務時間内です。

仕組みとしては、まず主催者が「こういうことをやります！」と参加者を募ります。内容は地域のボランティア活動から他部門のお手伝いまで、これに社員の中から希望者が手を挙げます。過去の活動には、白浜本社の目の前のビーチを掃除したり、オフィス周辺の芝生を刈ったり、近くの小学校のプールの掃除を手伝ったりといったことがありました。

チャレンジ48を始めてよかったことは大きく3つあります。

1つ目は、**ボランティア活動に気軽に参加できるようになった**こと。

ボランティア活動に興味のある人は多いと思います。活動を通して「地域社会に貢献したいな」と思っても、なかなか一歩を踏み出せないのが実情です。

クオリティソフトでもかつてボランティアを募集することがありましたが、応募するのはいつも決まった顔ぶれ。もっと幅広く参加してもらいたいと思っても、ボランティアだから会社として強制はできません。勤務時間外の活動だと、参加できない事情もあるでしょう。「いつも同じ人にやってもらって申し訳ないな」と思っていた社員もいたはずです。しかし、勤務時間内に全員が48時間分何かしらの活動に参加するとなると、こうした問題が一挙に解決しました。

2つ目は、ふだんは接点のない人たちと一緒に仕事をする機会が生まれたこと。

たとえば、エンジニアは「たまな商店」の担当者と日ごろは接点がありません。しかし、チャレンジ48によっていろんな部門の人たちと自然と交流を持てるのです。もしかすると、エンジニアがネット通販ユーザーの視点で話したことが、「たまな商店」の運営改善につながるかもしれません。

あるいは、自分が気になる他部門の仕事を経験するチャンスも生まれます。実際にやってみてはじめて仕事の大変さもわかるかもしれません。

最後に、脳が活性化すること。

自宅と職場の行き来だけになると、仕事内容や取り組み方がワンパターンになりがちです。たとえばＩＴエンジニアなら、パソコンに向かって開発する時間が圧倒的に長くなります。

そういう人がチャレンジ48で本社敷地内の緑の手入れ作業に参加すれば、いつもと違う部分の脳が活性化されます。気分転換にもなるし、本来の仕事に良い影響をもたらすことにもつながるでしょう。

ビッグローブが２０２２年に実施した18～25歳対象の調査によると、「社会に貢献できる仕事がしたい」と回答した人も、「副業もしたい、副業に関心がある」と回答した人も6割を超えました。今は副業をはじめとするパラレルワークへの関心が高まっていますが、チャレンジ48を活用すれば自分がやってみたい仕事に気軽にチャレンジできるのです。

ルール6　未来思考を徹底する

「予祝」

この言葉をご存じでしょうか？

読み方は「よしゅく」。字の通り、あらかじめ祝うことを意味します。早い話が前祝いで、何か物事を始めるとき、あらかじめ祝ってしまうとそれが成就《じょうじゅ》するというのです。

日本では古くから豊作や多産を祈って予祝行事が行われてきました。たとえば、桜の花見も予祝の一種だといわれています。満開の桜を豊かに実った稲に見立てて、秋の豊作を前祝いしてしまおうというわけです。

クオリティソフトはかつて年に1回、「大自慢大会」というイベントを開いていました。これは、1年間のチームの成果を披露して自慢する会です。

これに加えて、2023年からは「未来自慢大会」を始めました。予祝スタイルを取り入れたのです。

予祝ですから、「これからこういうことをします！」というキックオフの宣言をするわけではありません。「1年後の未来、これが大成功しました！」という内容を自慢するのです。いかにクリアに成功のイメージを持つか。これによって実現可能性が大きく上がるのです。

4月1日に新しい年度が始まり、新しいチーム（一般企業の課に相当）が誕生します。そして、自分たちのチームの未来についての5分間の映像をつくります。そのうえで、5月の連休明けに大会を開いて全社員にプレゼンをするのです。そのために、ドラマ仕立てにしたり、テレビCMのようにしたりと、各チームが工夫を凝らします。

以前の「大自慢大会」では、社員たちは過去を振り返って自慢できるものをひねり出そうとしていました。どうしても過去思考になっていたのです。

ところが、予祝となると様相が一変します。チームが目指すべき理想を考えて、ビジョンやミッションをつくらないといけません。つまり、未来志向でチーム一丸となって考えるようになるのです。

この新旧自慢大会には副産物も生まれました。新たな社員タレントの発掘です。映像制作で抜群の能力を発揮する社員が出てきたのです。

これからは映像の時代。企業も採用活動において動画づくりに力を入れています。社員全員が動画力を身につけたら、強い会社になれます。社員一人ひとりの人生にもプラスになるはずです。

ルール7　社内を地域に開放する

クオリティソフトの本社が東京にあったころは、社員食堂がありませんでした。東京の賃貸オフィスで社員食堂を運営するのは難しいからです。

南紀白浜に移ってきた当初は、今とは別の賃貸物件に本社を構えていましたが、やはりそこにも社員食堂はありませんでした。

都会と違ってまわりに食事ができる場所が少ないからでしょう。あるとき若い社員たちが昼食にカップ麺をすすっているのを目にしました。この状況が続くようでは体に良くありません。

そこで、今の白浜本社には社員食堂をつくりました。これが前述した「くおり亭」です。

都道府県庁や市役所、町村役場の食堂は市民に開放されているのが一般的です。「くおり亭」も一般の方に開放していて、外には「ランチ」の幟《のぼり》も立てています。企業のセキュリティが年々厳しくなっていることを考えると異例の取り組みでしょう。

都会では毎日数多くのイベントが開催されていますが、地方の人口の少ない地域では、そういう機会はほんのわずかです。

そこで、「くおり亭」では、ランチタイムコンサートなどのイベントをひんぱんに開くようにしました。地域の方々に大人気で、80人くらいのお客さんがお見えになることも珍しくありません。クリスマスには、毎年、和歌山出身のギタリストを迎えたコンサートも行っています。

ちなみに、先ほど紹介したアナウンサードローンは、「くおり亭」を開放して、イノベーション・スプリングスに人が集まるからこそ生まれたサービスです。

イノベーション・スプリングスでは、元中部大学教授で工学博士の武田邦彦さんや国際情勢に関するカリスマユーチューバーの及川幸久さんら、さまざまな人たちの講演会も開いています。ほかに版画展や書道展、写真展などを開催することもあります。

地域の人たちが集まる場になれば、そこからまた、新たなイノベーションが生まれるのです。

「やりたいこと」と「田舎」が入社の決め手でした

クオリティソフト　開発ギルド　兼　アトリエチーム
入社2年目　25歳
国立大学大学院修士課程修了

私は和歌山県出身ですが、県外の大学院で分散システムを研究していました。分散システムとは、複数のコンピュータが連携して処理を分担するというクラウドにかかわる技術です。就活にあたって、私が最優先にしたのは大学院で学んだことを生かせるかどうかでした。

ＩＴ業界に対しては、長時間残業などブラックなイメージがありました。残業が少ないに越したことはありませんが、私はそこまで気にしていませんでした。何よりも「やりたいこと」を重視していたからです。まわりの学生たちも「自分がやりたいこと」を軸に会社を探していたと思います。

調べてみると、クラウドサービスに力を入れるクオリティソフトでは、自分の研究内容に近いことをやっていることがわかりました。

実は、就活では東京や大阪のＩＴ企業も受けました。大手企業からも内定をいただき、給料や待遇の良さに心を動かされました。しかし、大手企業に入ったら、すぐに自分がやりたいことができるとは限りません。やりたいことを軸に就活していた私は迷いました。ところが、クオリティソフトは違いました。面接のとき、浦社長が「やりたいことがあったらぜひ言ってくれ」と言ってくれたのです。これが決め手の1つになりました。

もう1つの決め手は立地です。私は都会が苦手。人が多い所にいると、体調を崩してしまうのです。その点、クオリティソフトの本社はリゾート地の白浜に立地しています。実家からも近かったので、「ここしかない！」と思いました。

入社後は、Ｗｅｂアプリケーションを開発するチームに所属していますが、自分から手を挙げてR＆D（Research and Development＝研究開発）を担う「アトリエ」（94ページ）にも加わりました。というのも、アトリエなら自分が大学院で専攻した分散システムの知識をダイレクトに生かせるからです。入社1年目からR＆D部門に入れるチャンスは他社ではなかなかないと思います。

私が勤務する白浜本社は開放的な空間で、まわりとコミュニケーションが取りやすいのがいいですね。技術のトップも気さくに話しかけてくれます。研究のことについて、悩んだことや困ったことがあれば気軽に相談できる雰囲気です。オフィス内はフリーアドレス制で、席は自由。ただ、どうしてもチームで固まってしまう傾向があるので、席を移動する日が定期的に設けられています。

「マジカブランカ」（129ページ）を使って他拠点のエンジニアと話すこともよくあります。常にマジカブランカに接続しているパソコンがあるので、個人で何か用があったときに気軽に他拠点のエンジニアと打ち合わせすることができます。

クオリティソフトはクラウドシステムでは時代の最先端を走っている企業。たとえば、クバネティス（Kubernetes ＝グーグルが開発したコンテナを管理運用するオープンソースソフトウェア）というツールを使っているのですが、それについて調べようと思っても、まだ新しい技術なので参考になるサイトや資料がとても少ない。そうした事態に直面すると、「自分たちは最先端を走ってるんだな」と実感できます。

今後もどんどんクラウドシステムは重要になっていきます。ここで技術を身につければ、どこへ行っても通用するようになれると思います。

第3章

なぜ、あの会社は社員がイキイキしているのか？

縦のヒエラルキーを壊す

社長をトップに、役員、事業部長、部長、課長、係長といった縦のライン。これが日本企業で長く続いてきた社内のヒエラルキーです。実は今、この構図にうんざりしている若い人たちが増えています。

東晶貿易が運営する転職メディア「転職サイト比較Ｐｌｕｓ」が20代を対象にした「出世欲」に関するアンケート調査を実施したところ、「将来役職者になりたいと考えますか？」の問いに実に77・6％が「いいえ」と答えたといいます（図３）。

つまり、**今の若者の４分の３以上は社内での出世に興味がない**のです。

この旧来型のヒエラルキーは今でも会社組織の主流です。会社によっては、係がないのに係長のポジションを置いているケースすらあります。

それではなぜ、ピラミッド型の役職が必要なのでしょうか？

それは役職と給料が連動しているからです。給料を上げるためには、ポジションを上げ

図３　「出世欲」に関するアンケート調査

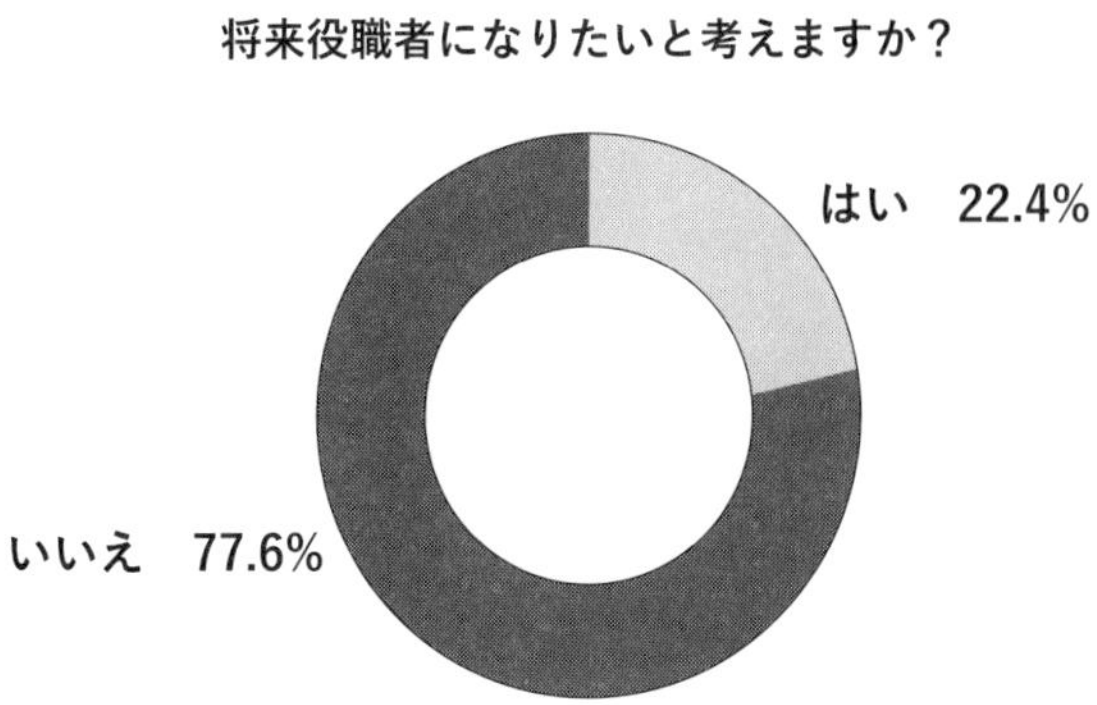

出典）転職メディア「転職サイト比較Plus」2022年
20〜29歳の男女2327人（男性1127人、女性1200人）にアンケート調査

るしかありません。だから、会社によっては部下のいない係長が存在していました。たとえ係がなくて部下がいなくても、係長という役職を与えないと給料を上げられないのです。

縦型のヒエラルキーによる役職付けが、社員のモチベーションを上げる仕掛けになっていたのです。

近年は、こうした縦型ヒエラルキーを打ち破ろうとする試みが増えてきました。古くは京セラのアメーバ組織に始まり、チームラボのフラット組織、ミスミのチーム型組織などが登場しています。

フラットな関係のもとでメンバー一人

ひとりが自律して意思決定を行う「ティール組織」や、社員全員が平等な権限を持つフラットな「ホラクラシー組織」といったものも出てきました。

私自身ずっと、この旧来型の硬直化したヒエラルキーを崩したいと考えていました。というのも、この縦型ヒエラルキーのままでは真のアドレスフリーは実現しないからです。時間も場所も自由に働くためには、一人ひとりがプロフェッショナルでなければなりません。

しかし、誰もが出世してマネジメントの立場になりたいと考えているわけではありません。ITエンジニアならば、技術をトコトン突き詰めたいという情熱がある人もいるでしょう。

私は、**社員一人ひとりがやりたいことをできる仕組みにするために、縦のヒエラルキーを壊す**と社員たちの前で宣言しました。

まわりからはものすごい反対がありました。すでに役職が付いている人は、なおさら不安があるでしょう。

しかし、一人ひとりが持ち味を発揮できるようにするには、フラットな組織へと進んでいくしかありません。私は荒療治も辞さず、3年くらいの時間をかけて、新しい組織へと切り替えていったのです。

どんな組織に変えていったか紹介しましょう。

「ギルド組織」でフラットに

クオリティソフトは2023年、一人ひとりが夢を追える組織づくりに大きく踏み出しました。

その名も「ギルド組織」です。

旧来型のピラミッド型組織では、課長がいて、その下に課員がいるという課単位のチームでプロジェクトを進めていくスタイルでした。そのプロジェクトが終われば、同じ課で別のプロジェクトを進めるといった具合です。クオリティソフトもかつては同じスタイルでした。

一方、ギルド組織はまったく違います。これは、**プロジェクト単位で開発メンバーが集**

まり、仕事を進めていくというものです。プロジェクトが終了すればチームは解散。旧来型の課や係のような固定化されたチームではありません。

たとえば、ITエンジニアはプロジェクト単位でアサイン（割り当て）されて、そのプロジェクトが終了したら解散し、また新たなプロジェクトにアサインされていく。固定化した組織ではなく、プロジェクト単位でメンバーが入れ替わります。

イメージとしては、映画づくりです。プロデューサー、監督、脚本家、カメラマンをはじめ、美術・音楽・照明・音響・映像編集・CGといった各分野のプロフェッショナルたちが作品ごとに集まります。組織に所属するしないを問わず、プロの自覚とスキルを持った人たちが集まって、質の高い作品に仕上げていくのです。

広告制作や書籍・雑誌編集なども同様でしょう。こうしたものづくりの仕事では、さまざまなプロフェッショナルがチームを結成してプロジェクトを進めていきます。

ソフトウェアビジネスの重要な部分は、ソフトウェアの開発、つまり「ものづくり」。だからこそ、組織構造を変えようと考えたわけです。

ギルド組織への転換にともなって、社内のヒエラルキーは3段階くらいとシンプルにしました。執行役―チーム―担当、といったイメージです。

ただ、対外的に格好つけなければならないことがあるのも現実。そこで、部長でも、チームリーダーでも、マネジャーでも、各部門で肩書を付けられるようにしています。

このギルド組織への移行によって、クオリティソフトはフラットな組織へと大転換しました。開発会社のありようの新しいカタチだと思います。

マネジメント業務の切り離し

ギルド組織にすることの大きなメリットの1つは、一人ひとりが「やりたいことができる」ということです。

ITエンジニアは新しいシステムやアプリケーションの開発に携わりたくてなった人が大半です。現に、クオリティソフトにも「ここならクラウドの最先端の開発ができるから」といった志望動機で入社してくる若手が少なくありません。

ところが、旧来型の硬直化した縦型ヒエラルキーでは、出世してマネジャー（管理職）にならないと給料が上がりませんでした。技術志向のＩＴエンジニアたちはマネジメントなんかやりたくないのに、やらざるをえなかったのです。それこそ、エンジニアはキャリアアップすればするほど、マネジメントの仕事に朝から晩まで追われるようになるのです。それでは一人ひとりが持ち前の能力を発揮できません。

これに対して、ギルド組織では**エンジニアの仕事からマネジメント部分を切り離します**。代わりにマネジメント専門の人材（映画づくりでいえばプロデューサー）を据え、このマネジャーがプロジェクトに必要なメンバーをアサインしていきます。

その結果、優秀なエンジニアが苦手なマネジメントに四苦八苦しなくてすみ、持てる能力を十二分に発揮できるようになるのです。

こうして開発とマネジメントを切り離すことで、マネジャーに出世しなくても、専門職として給料を上げることを可能にしました。

「ポイント制」の導入でモチベーションUP

ギルド組織には「ポイント制」も導入しました。プロジェクトの難易度や完成までのスピードに応じ、評価と連動したポイントを付与するようにしたのです。

たとえばプロジェクトを早く完了させれば、その分、ポイントが早く得られます。優秀なエンジニアは仕事をこなせばこなすほどポイントが増えるので、収入も上がることにつながるのです。会社としても、プロジェクトの納期を短縮できるというメリットがあります。

ギルド組織はまだスタートしたばかりで、試行錯誤の段階です。理想は、「こんな案件があります。100ポイント付きます」といったプロジェクトを掲《かか》げ、そこにプロフェッショナルたちが「やります!」と手を挙げるような仕組み。**会社が「これをやりなさい」と命令するのではなく、本人が自発的に「これをやる」と決める仕組み**です。会社は、あくまでも社員を支援するというのがこれからの会社のあり方だと考えています。

つまり、社員一人ひとりが自分の力を発揮できるようにするのが会社の役目なのです。

「子育てしながら週3日勤務」も可能に

ギルド組織が打ち破るのは、縦型のヒエラルキーにとどまりません。正規雇用か非正規雇用かといった旧来型の雇用形態をも乗り越えていく可能性を秘めています。

映画づくりや広告づくりを見てみると、プロジェクトチームに参加するのは、制作を担う会社の正社員ばかりではありません。少数の正社員と、外注先の制作会社の社員やフリーランスの人たちで構成されるのが通例です。

ギルド組織も、必ずしも正社員だけが参加するわけではありません。そのプロジェクトに必要な技術を有するエンジニアが社内にいるとは限らないからです。むしろ、社外の優秀なエンジニアを積極的に活用すべきというのが私の考え。契約社員やアルバイト、フリーランスといったさまざまな雇用形態の人材が加われるようにしています。

図４　社外での副業・兼業を認めている企業の割合

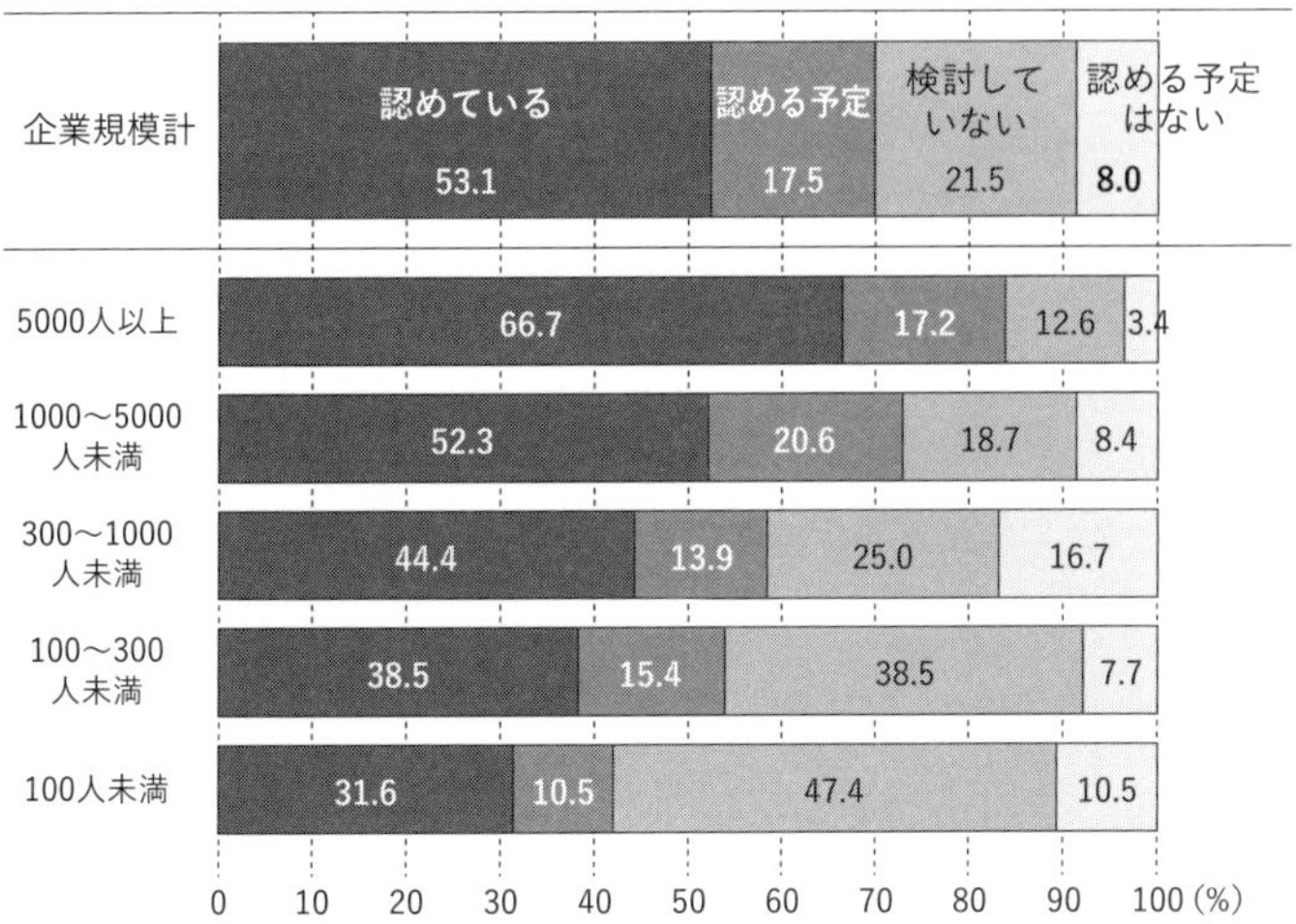

※四捨五入により、合計が100%にならない場合がある

出典）経団連「副業・兼業に関するアンケート調査結果」2022年
経団連企業会員275社が回答（回答率18.2%）

このところ副業を認める企業が急増しています。経団連の２０２２年の調査では、53・1％の企業が副業を認めていました。規模が大きい企業ほど副業を認めており、５０００人以上の企業では66・7％にものぼりました（図4）。

この流れを受けて、他社の社員が副業でクオリティソフトのプロジェクトに加わる、ということも今後はありえるでしょう。

たとえば、ある技術で突出した力があるエンジニアがいるとします。そのエンジニアが「クオリティソフトで仕事時間の30％だけ使います」というのもアリです。

あるいは、子育てしながら週3日働きたい、という人のニーズにも応えることもできます。


日本では働き方の多様化が急激に進んでいます。

その先駆けともいえるのが、グループウェアを手がけるＩＴ企業のサイボウズです。サイボウズが目指しているのは「１００人１００通りの働き方」。サイボウズでは、コロナ禍以前から出社する人は全体の7割程度で、3割程度が在宅ワークだったといいます。長時間労働が嫌な人には残業をしなくてもいい制度を、満員電車で出勤するのが嫌な人には在宅勤務ができる制度を、副業したい人にはそれを可能にする制度を、それぞれつくってきた結果です。多様な働き方によって、**一人ひとりが「自由と責任」を持つフリーランスのような働き方を理想に掲げている**のです。

やりたいことにすぐチャレンジできる「アトリエ」

「最先端の技術を学びたい！」
「新しいシステムやアプリケーションをつくりたい！」
「まだ誰もやったことがないことにチャレンジしたい！」

ＩＴエンジニアを志す人なら、多かれ少なかれそうした思いを抱いていることでしょう。ほかの業種・職種を志す人でも、たとえば、総合商社なら「エネルギー調達で世界中を飛びまわりたい」、不動産会社なら「大規模な商業施設を開発したい」、食品メーカーなら「おいしいインスタントラーメンを開発したい」といった思いがあるでしょう。

とはいえ、いざ入社してみると、先がつかえていて「順番待ち」になっていることも珍しくありません。ある程度、社内で経験を積まないと、やりたいことができないというわけです。

社歴が浅くても、やりたいことにすぐにチャレンジできるように、クオリティソフトはギルド組織に加えて「アトリエ」という仕組みもつくりました。

これは、CTOをリーダーに、商品やサービスの種、新しい技術を取り入れたR&D（研究開発）を行うチームの仕組みです。

たとえば、第2章で少し述べた「マジックカフェ」もアトリエで開発しました。アトリエには、入社1年目の新人も参加可能です。自分が学生時代に学んだことを生かして、いきなり新しいチャレンジができる環境を提供しているのです。

アトリエのメンバーは10人ほどですが、みな自分の業務とは別にアトリエの仕事をこなしています。このため「新しいことが好き！」「面白いことをやりたい！」という知的好奇心の旺盛なメンバーが集まっています。いわば研究の部活のようなものです。

アトリエは、以前は「チームイノベーション」という名称でした。当時から、メタバースの世界でドローン飛行プログラミングをシミュレーションするといった先端プロジェクトを担っていました。

実際のドローンの場合、一度に飛ばせる数には限界がありますが、メタバース空間なら何台でも同時に飛ばせます。しかも、仮想空間なので、風が吹いたらどうするか、雨のときはどうするかといったシミュレーションも自宅でできます。

アトリエは、困っているエンジニアがいれば助けにも行きます。メンバーはふだんは製品を開発するための基本的な研究開発をする「要素技術開発」を担っていますが、ギルド組織の人たちが困っていたら、助っ人に行って開発を一気に加速させる役割も担います。いわゆる遊軍的な役割です。

ただし、アトリエのメンバーになるのは甘くありません。**指示待ち人間ではなく、自ら考えて行動する人材しか加入することはできないのです**。

逆に言うと、人に言われなくてものびのびと新しいことに挑戦できる人が、面白いものを開発し、成長もしていけるのです。

さて、近年、時間や場所、さらには雇用形態まで含めてフリーにする働き方を取り入れる先端的な企業が続々登場してきました。次からは、その中で私が注目するユニークな企業をいくつか紹介していきましょう。

都会に住んでも田舎に住んでも給料が同じ「キャスター」

2017年のクオリティソフトの白浜本社のオープニング式典のときのこと。私は2人の新進気鋭の若手経営者を招待して、一緒にパネルディスカッションをしました。2人とも、新時代のワークスタイルを実現している企業の創業者です。

その1人は、キャスターの中川祥《しょう》太《た》代表。

キャスターは本社を宮崎県西都《さいと》市に構え、「リモートワークを当たり前にする」をミッションに掲げる企業。採用や経理といったバックオフィス系のサービスを提供しています。

キャスターは全国各地に住む800人以上ものスタッフがフルリモート勤務。採用面接もリモートで実施するという徹底ぶりです。

フレックス制を導入しているほか、正社員や準社員、業務委託といった就業形態も選択可能。副業もOKです。

特筆すべきは、居住地による給与の違いがないこと。日本は都道府県ごとに最低賃金を設定しています。アルバイトの時給が地域によって異なるように、企業の多くは勤務地によって給与体系を変えています。

しかし、フルリモートのキャスターは、どこに住んでいても、役割が同じなら同じ給料にしたのです。

フルリモートによって「仕事ができる人」と「仕事ができない人」がはっきりしたといいます。リモートでは「仕事をしているふり」が通用せず、あくまで成果物が評価の対象になるからです。

つまり、能力の高い人が好きな場所に住んで仕事をし、能力に見合った高給を手にできるというわけです。

フルリモートと「集まる場」を両立させた「ソニックガーデン」

もう1人はソニックガーデンの倉貫義人《くらぬきよしひと》代表です。

ソニックガーデンは「納品のない受託開発」というユニークなスタイルのＩＴ企業です。

開発したシステムを納品して終わりではなく、月額定額制にして順次つくっていくというサブスク的な手法を導入しています。

ソニックガーデンは、早くも２０１１年からリモートワークを導入し、16年には出社を撤廃しました。

面白いのが「Remotty」という仮想オフィス。日本の各地に分散している社員は、この「Remotty」を通して、まるでオフィスにいるように互いにコミュニケーションを図りながら働きます。直接顔を合わせなくても、チームワークが高められるといいます。

ただし、キャスター同様、リモートワークでは能力の差がはっきり表れることから、エンジニアには高い能力が求められるようです。

ソニックガーデンがユニークなのは、人が集まるリアルな場も大切にしている点。全国3カ所に事務所利用が可能な一軒家やマンションを会社で借り上げ、ワークプレイスや営業拠点、取材対応の場、出張時の宿泊場所などとして活用しているそうです。

この2社以外でも、近年は優秀な社員を確保しようと、フルリモート勤務を認める企業が増えてきました。フルリモートなら、全国から優秀な人を採用できますし、働く側としても、好きな場所で勤務できる魅力は大きなものです。

いい波が来たらサーフィンに行ける「パタゴニア」

「お！　今日はいい波が来そうだから、今からサーフィンに行ってくるよ。後はよろしく」

「わかった。気をつけて行ってきな」

休日の海辺でありがちなシーンですが、実はこれ、勤務中の会話。舞台は、アウトドアの世界的ブランド「パタゴニア」の職場です。

「たとえ仕事中でも、いい波が来たらサーフィンに行ける」

パタゴニアは、そんな柔軟なフレックス制を取り入れていることで話題になりました。

パタゴニアの創業者イヴォン・シュイナード氏は登山家で、クライミング用具の鍛冶屋《かじ》でもありました。その著書『社員をサーフィンに行かせよう―パタゴニア創業者の経営論』（訳・森　摂、東洋経済新報社）は２００７年の出版以来、ビジネススクールの必読書としてロングセラーになっています。

パタゴニアでは、サーフィンに限らず、ランニングでもフラメンコでも何でも好きなことをやるためなら仕事を抜けてもかまわないそうです。

ただし、「仕事を放り出して遊んでいい」ということではありません。いい波はいつ来るかわからない、だから事前にいい波に乗るための計画は立てられない、いい波が来たそのときに即座に出かけられるようにふだんからちゃんと仕事をしておかなければならない、ということの裏返しでもあるのです。

さらに、急に抜けるとなると、仲間の協力も欠かせません。まわりから「サーフィンに行っていいよ」と快く送り出してもらうためには、日ごろから積極的にコミュニケーションを取り、自分がいなくても問題なくプロジェクトが進むような状況になっていなければなりません。

つまり、一人ひとりがプロフェッショナルとして質の高い仕事を期限内にやり遂げることを前提にした「仕事を抜けてもかまわない」なのです。

ちなみに、パタゴニアの採用では、アウトドアや環境問題への関心の強さが問われるそうです。

趣味と実益を兼ねた「マッチョ介護士」

「求人広告を出したけど、応募者が全然集まらない……」

これは今、多くの経営者や採用担当者が抱えている悩みです。

世界でも類を見ない少子化によって、日本の人口は２００８年をピークに減少を始めています。生産年齢人口（15歳から64歳）はその10年以上前、１９９５年をピークに減ってきています。

日本の人手不足は深刻です。

なかでも、難しくなってきたのが若者の採用です。とりわけ人材募集に苦戦しているのが介護業界。

「きつい・汚い・給料が安い」

いわゆる３Ｋといわれる業界だからです。

それなのに、求職者から毎月100件以上の問い合わせがある介護会社があります。

それはビジョナリー（ＨＩＤＡＭＡＲＩグループ）。ターゲットにしたのは、何と「マッチョ人材」。

ビジョナリーでは、勤務時間8時間のうち、6時間が介護で、2時間を筋トレにあてられます。

つまり、勤務時間中の筋トレがＯＫなのです。

毎月2万円のプロテイン代も支給されるそうです。

さらには、全国のボディビルコンテストに出場するのも勤務扱いで、遠征費も支給するという太っ腹ぶり。このため、高齢化が進む介護業界にあって、スタッフの平均年齢は27歳と異例の若さです。

介護の仕事は重労働。身体介助の負担で腰を悪くしてしまう介護スタッフが後を絶ちません。

ところが、マッチョ人材は重い物を持ち上げるのはお手のもの。それどころか、トレーニングを兼ねられるので、一石二鳥。仕事と趣味と適性が見事にマッチしているのです。

利用者は最初、ガタイのいい人ばかりでビックリするそうですが、いざ介護してもらうと安定感抜群。しかもマッチョ人材は仕事も趣味も充実しているので、明るく前向きだとか。

「安心できる！」「頼りになる！」

と利用者から大好評だそうです。

実はこの会社のスタッフ、見た目がたくましいのでマッチョ人材ばかりが目立ちますが、それだけではありません。

マッサージ師やプロボクサー、製菓学校の学生も社員として働いているのです。

というのも、「1日4時間勤務のパラレルワーク」という制度も導入しているからです。

ビジョナリーはその名の通り、社員のどんなビジョンも応援してしまう会社なのです。

社員がワクワクしながら働けることは、顧客満足度にもダイレクトにつながる好例です。

場をきれいにして運気を高める

投げれば160キロ超の剛速球、打てばメジャー日本人選手初の本塁打王という前代未聞の二刀流で歴史的な活躍をみせるドジャースの大谷翔平選手。

彼がグラウンドでさり気なくゴミを拾う姿が話題になったことがあります。

大谷選手は高校1年生のとき、いわゆるマンダラチャートをつくっていたことが知られています。これは、中央に目標を記入して、それを実現するための要素と手段をまわりのマスに書き込んでいくというものです。

大谷選手がマンダラチャートの中央に記した目標は「ドラ1　8球団」でした。高校3年秋のドラフトで、8球団から1位指名されるという目標です。

それを達成する要素の1つである「運」の項目を見ると、次のように記されているではありませんか。

「ゴミ拾い」

驚くべきことに、大谷選手は高校1年生のときからゴミを拾うと運が良くなるという意識があったのです。ゴミを拾うことは、他人が落とした運を拾うという行為でもあります。身体的に恵まれているだけでなく、精神性の面でも並外れたレベルにあることがうかがえます。

大谷選手は、思想家の中村天風《てんぷう》の著書『運命を拓く』（講談社文庫）を愛読していることも話題になりました。中村天風は、パナソニック創業者の松下幸之助や京セラ創業者の稲盛和夫ら、超一流の経営者に影響を与えたといわれています。

サッカーワールドカップでは、毎回、若い日本人サポーターたちが試合終了後にゴミ拾いをしている姿が世界的に話題になります。「あんなことをすると、清掃員の仕事を奪ってしまう」などと的外れなことを言う人もいますが、我々日本人にとって場を清浄にすることは、自分たちの運気を高めることを意味します。

最近は少なくなりましたが、高校生までは「四番でエース」は珍しくありません。松坂大輔氏や中日の中田翔選手、タイガースの前田健太選手らがそうでした。巨人二軍監督の桑田真澄氏はPL学園時代、清原和博氏とのKKコンビで甲子園を沸かせましたが、清原氏に次いで甲子園歴代2位タイの6本塁打を放っています。桑田氏や松坂氏はプロでも二刀流で十分通用したともいわれています。

もしかしたら、これまでにもプロでも二刀流を続けたいとひそかに考えていた選手がいたかもしれません。

それでも、長いプロ野球の歴史の中で二刀流で大成功したのは、レッドソックス時代のベーブ・ルース、そして、その約100年後に登場した大谷選手くらいです。

能力の高い人はたくさんいます。努力する人もたくさんいます。しかし、そっとゴミを拾える人がどれだけいるでしょうか?

この章では、一人ひとりをイキイキさせるような会社の制度を取り上げてきました。個人の能力を最大限に発揮させるような新しい働き方が生まれてきています。

しかし、どんなに環境が整っても、それを生かすも殺すも本人の心がけ次第です。

それこそ、大谷選手のようにそっとゴミを拾えるような人が、環境を最大限に活用して自分らしい活躍ができるのです。

第４章

自分を成長させる会社の見つけ方

「翻訳に未来はない」

私は若いころ、翻訳を生業《なりわい》にしていました。

フリーの翻訳者だった私が、今ではＩＴ資産管理のクラウドサービスやドローンビジネスを手がけるＩＴ企業の経営者です。時代の動きを察知して、変化を恐れずに業態転換しなければ、クオリティソフトが40年続くことはなかったでしょう。

音響機器メーカーの社員だった私がフリーの翻訳者になった経緯は次のようなものです。会社の研修生として米カリフォルニア州立大学ロングビーチ校を卒業した私は、帰国後、アメリカで学んだことを生かして面白いことをやろうと、会社にいろいろと提案しました。しかし、係長がいて、課長がいて、部長がいてという昭和の縦型ヒエラルキーの職場では、なかなかやりたいことをやる順番がまわってきませんでした。上司の係長は「来年は自分が課長だ」と思い続けながら、何年も係長のままでした。

「会社とアパートの間を往復しているだけでいいのだろうか……？」

私は、そんなもどかしさに我慢できなくなり、退社してフリーの翻訳者になったというわけです。

あるとき、大手印刷会社の凸版印刷（現ＴＯＰＰＡＮ）の営業担当者から「浦さん、大きい仕事があるけど、やりますか？」という打診がありました。ただし、条件があるとのこと。「法人にしか発注できないので、会社をつくってほしい」と言うのです。

１９８４年、私は翻訳会社を立ち上げました。

確か92年のこと、ヒューレットパッカード社から「７０００ページのマニュアルを翻訳してほしい」という依頼が入りました。印刷するもととなる版下《はんした》という段階まで仕上げてほしいとのことで、期限は2カ月半。超タイトなスケジュールです。

私の会社は、コンピュータを駆使した「速い・うまい・安い」翻訳サービスに定評がありました。それで声がかかったのです。

「翻訳するデータは揃っていますか？」

「あります」

「じゃあ、やってみます」

データがあるなら何とかなるというのが私の見立て。というのも、コンピュータのマニュアルは、同じような文章が何度も繰り返し現れるからです。

7000ページの全データからすべての文章を抜き出して、それぞれに番号をつけていきました。すると、まったく同じ文章が30とか40とか見つかるわけです。つまり、1つの文章を翻訳するだけで、それらの文章の翻訳が終わるのです。

当時、東京の千代田区麴町にオフィスがありました。上智大学がすぐそばです。東京大学のコンピュータサイエンスの大学院生ともお付き合いがありました。こうした優秀な学生たちにバイトで手伝ってもらいました。

その結果、2カ月半で版下の完成までこぎつけたのです。

もともと、お客さんが発注に手間取ったことが、期間が短かった原因でした。打診した会社すべてに「そんなのできるわけがない」と、断られたそうです。お客さんは私たちができると思っていなかったかもしれません。それなのに私たちはやり遂げたのです。

お客さんからは大いに感謝されました。

ところが、不可能と思われたことを可能にした割には、利益は小さなものでした。

翻訳業界は、当時は栄えていました。日本は自動車や家電などの輸出大国だったからです。自動車や家電製品のマニュアルや取扱い説明書をはじめ、メーカーが海外に現地生産のプラント（工場設備）をつくる際の大量のドキュメント（契約書）など、注文はたくさんありました。

しかし、しだいに同業者が増え、値下げ合戦が起きて、単価が下がり始めていったのです。

「これからは、翻訳はないな」

どの翻訳会社も断った7000ページのマニュアル翻訳を2カ月半で成し遂げたこのとき、翻訳の仕事に未来はないと感じ始めたのです。

大胆に変化する企業だけが生き残る

当時はマニュアルを翻訳していただけではありません。ソフトウェアのローカライズも手がけていました。ローカライズとは、言語を日本語にするだけでなく、ソフトウェアそのものを日本仕様にするという仕事です。

第2章で触れたようにアップルコンピュータからの依頼で「KeyServer」というソフトウェアの翻訳と販売を手がけるようになったのは、ソフトウェアのローカライズでお付き合いがあったからです。

KeyServerを販売し始めたら、年商3億円のうち、1億円を占めるようになりました。

「今から1年で翻訳は完全にやめる!」

私は社員たちを前にしてそう宣言しました。社内はもう騒然です。翻訳の売り上げ2億円を捨てるのですから当然です。社員全員が大反対。前職の元人事部長に顧問をお願いしていましたが、彼も反対しました。

しかし、やめると決断しなければ、やめられません。仕事を請け負っていると、お客さんから頼りにされるのが嬉しい。仕事が次々と入って来ることに喜びを感じるものです。それで利益が出ていれば、なおさらやめられません。

それでも私は、宣言してから1年で本当に翻訳の仕事を断ちました。

あのまま翻訳業を続けていたら、先細りになっていたのは間違いありません。現に、ずっと翻訳だけを続けている会社を取り巻く環境は厳しいですし、さらに近年、自動翻訳が急速に進化してきました。AIによって、翻訳会社はますます厳しくなるでしょう。もし、クオリティソフトがあのまま翻訳業を続けていたら、今はなかったと断言できます。

化粧品やサプリメントのメーカーであるDHCは「大学翻訳センター」の略。DHCも私たちと同じように翻訳会社でした。DHCは今でも翻訳をやっていますが、業態転換に成功した好例です。

他業界でも、写真フィルムから化粧品・医薬品に業態転換した富士フイルム、絹を販売する「山梨シルクセンター」から世界的なキャラクタービジネスで成功しているサンリオ、コルク製造から自動車メーカーに転換したマツダなど、外部環境の変化に応じてまるで異なる分野に進出して成功している企業は少なくありません。

よく知られているように、恐竜は地球環境の変化に適応できずに滅びました。企業は必ずしも業態を転換する必要があるわけではありませんが、少なくとも、時代の変化に敏感でなければ、滅びてしまいます。

1980〜90年代は、ワープロソフトや年賀状ソフトが一世を風靡《ふうび》しました。しかし、今はこうした分野は影を潜めました。ユーザーはソフトウェアをサブスク型クラウドサービスで利用するようになったのです。

これからはますます時代の変化のスピードが速くなっていきます。今の成功に甘んじることなく、未来に向けていかに社会の変化に対応しているか。会社を選ぶとき、この視点を持っていることが大事だと思います。

経営とは「次に打つ手を増やす」こと

私がアメリカに行ったときのこと。ある日、プールサイドでくつろいでいると、オセロゲームを楽しんでいる人たちがいました。そのうちの1人が抜群に強い。ゲームを眺めていると、圧倒的に劣勢に立たされているように見えるのですが、最後には必ず勝つのです。

「どうしたら勝てるの？」

あまりに見事な逆転劇を続ける彼に、そう聞いてみました。

「次に打つ手が増えるように打つんですよ」

それを聞いて、私はひらめきました。

「あ、そうか！　これは経営だ」

自分が黒なら、黒が増えるように打つのではありません。たとえ黒が減っていったとしても、次に打つ手が増えるように打っていくのです。そうすれば最終的には勝てるというのです。

経営も、目先の利益を求めると、手詰まりになって先細ります。

次に打つ手を増やしていくと、お金はどんどん減っていくかもしれません。しかし、**いずれ大きな見返りがある**のです。

オセロ・Othello は登録商標です　TM & © Othello,Co. and MegaHouse

たとえば、白浜本社の購入は「次に打つ手を増やす手」でした。中古の物件を買ってリノベーションするために投じた総額は約5億円。これだけの資金を投じたからといって、すぐに儲かるわけではありません。しかし、イノベーション・スプリングスを立ち上げ、地域にも開放すると、いろんな人が集まるようになり、ビジネスの種が生まれ、打つ手が次から次へと増えていきました。それらがいくつも実際にビジネスとして結実しています。

私はクラウドを手がけているIT企業の社長で、アメリカの大学を出ているとなると、バリバリのITエンジニアのような印象を受けるかもしれません。

確かに、アメリカでの大学生時代、マイクロプロセッサーについて学びましたが、本格的にプログラムを開発したことがあるわけではありません。

ソフトウェア販売業に転換したときも、開発会社にするつもりはありませんでした。あくまでもマーケティング会社にしようと考えたのです。ソフトウェアの開発は協力会社に依頼して、自社は販売元として事業展開しようと構想していました。

ところが、紆余曲折《うよきょくせつ》あって、自社で開発するようになりました。

ソフトウェア開発会社は、ITエンジニアが集まって立ち上げるケースがほとんど。ところが、クオリティソフトはフリーの翻訳者が立ち上げた会社。それが今やクラウドの最先端を切り拓こうとしているのです。

会社が打つ手を増やすために新しいことにチャレンジするからこそ、そこで働く社員たちの打つ手も増えてチャンスが広がるのです。

「サブスク型クラウドサービス」こそ未来あるビジネス

かつて新しいソフトウェアを使うとき、ＣＤ－ＲＯＭから自分のパソコンにインストールしたものです。ところが今は、マイクロソフトの「オフィス」をはじめサブスクリプション型のクラウドサービスが主流になりました。メールからＳＮＳ、データ管理まで、世の中はクラウドサービスであふれ返っています。

クオリティソフトは２００７年、サーバや端末にソフトウェアをインストールするオンプレミス型から、いち早くインターネット型ビジネスへと転換しました。当時はまだクラウドという言葉ではなく、「ＳａａＳ《サース》」(Software as a Service) や「ＡＳＰ」

（Application Service Provider）という言葉が使われました。

実は、このオンプレミス型からクラウド型への移行が働き方に変化をもたらしたのです。かつて企業は自社のサーバからパソコンを管理していました。この場合、建物の外に出ると管理できなくなってしまいます。これを、インターネット経由で管理できる仕組みに変えて、自由に持ち出しできるようにしたのです。ソフトやデータもインターネット経由で使えるなら、自宅でもカフェでも仕事ができるようになります。

さらに、クオリティソフトは2010年にはサブスク型ビジネスへの転換を決断しました。今となっては下品な表現ですが、当時は「チャリンチャリンビジネス」（お金がチャリンチャリンと音を立てるように自動的に入ってくるビジネス）と呼んでいました。

サブスクのわかりやすい例はネットフリックスやスポティファイです。

映像なら、かつてはDVDやブルーレイといったパッケージを買ったり借りたりして楽しんでいました。ところがサブスクによって、月額定額制で見放題、聴き放題というスタイルが定着したのです。

ソフトというモノを売るのではなく、サービスというコトを売るビジネスへの大転換です。

モノの販売は、売って終わりです。しかし、サブスクは顧客との継続的な関係を重視したモデルです。顧客が解約しない限り、収益が生まれるというのがサービス提供側のメリットです。

一方、顧客は大きな初期投資が不要。月額の少額コストから始めてみて、気に入らなければ解約できます。

サブスクは売り手にも買い手にもメリットがある仕組みだからこそ、これだけ広がってきたわけです。

洋服やカメラ、おもちゃやおむつなど、モノのサブスクも登場しました。

しかし、モノのサブスクは商品を仕入れて在庫を持たなければならないという難しさがあります。その点、クラウドはサブスクとの相性が抜群にいいのです。

サブスク型クラウドサービスこそ、将来性のあるビジネスと言っていいでしょう。15年以上前にクラウド型サービスへと舵《かじ》を切ったことが間違っていなかったと改めて実感します。

クラウドは「割り勘効果」が高い

タクシーに乗るとき、1人で乗るよりも、4人で乗って割り勘にすれば1人あたりの料金は4分の1。さらに、もっと大勢の人を乗せられる電車なら、1人あたりの料金が安くなります。

近年は、1つの物件に複数人が暮らすシェアハウスや複数企業で共有するシェアオフィスが定着しました。カーシェアリングやシェアサイクルも普及しています。

これらに共通するのは「割り勘効果」があること。複数人で割り勘にすれば、1人あたりの負担が軽くなります。

クラウドの大きなメリットの1つも、この割り勘効果です。

1つのサービスを1人で使えば、1人で全額を払わなければなりません。クラウドなら、1000人、1万人で1つのサービスを分かち合えるのです。その分だけ、1人あたりの負担が小さくなります。

モノもシェアできますが、いつでもどこでもというわけにはいきません。そのモノがある場所に行かなければならないのです。

この点、クラウドサービスは、インターネットにつながっていればいつでもどこでも利用できます。このため多数の人たちと割り勘できるのです。

クラウドは「シェアする時代」にふさわしいサービスなのです。

国産クラウドの基盤づくりに挑む

ただ、これまでのクラウドのアプリケーションは、オンプレミス時代のものをクラウドに移行させたものでした。イメージとしては、オンプレミスのアプリケーションを仮想マシンに変換しているようなもの。このためロスが多く、効率が悪い。コストもかさみます。

これに対して、クオリティソフトが取り組んでいるのが「クラウドネイティブ」。その名の通り、最初からクラウドを前提に開発したアプリケーションです。

クオリティソフトは、クラウドネイティブの基盤を自社でつくっている稀有《けう》な会社です。

四大クラウドサービスというのをご存じでしょうか？　デジタル庁はAmazon Web Service（ＡＷＳ）とGoogle Cloud Platform（ＧＣＰ）、Microsoft Azure、Oracle Cloud Infrastructure（ＯＣＩ）の４つをガバメントクラウドに指定しました。４つともアメリカ発のサービス。現在、多くの企業がこれらのクラウド基盤を使っています。

クオリティソフトもＡＷＳを一部使っていますが、いずれ国産クラウドを立ち上げて、すべて自社基盤に移行させます。

翻訳をやめたときと同じように、私が国産クラウドを開発すると宣言したとき、社内から猛反対にあいました。ＡＷＳ信者からすると、「何を考えてるんだ！」というわけです。しかし、私はあえて挑戦します。変化を恐れては衰退するだけです。

こうした他社がやっていないチャレンジに魅力を感じて「面白そうだ！」と入社してくれるような、頼もしい新人も増えてきています。

アドレスフリーを実現する「エンドポイント・エンパワーメント」

これまでアドレスフリーを進めてきて、気づいたことがあります。それは、アドレスフリーを支えるシステムが必要だということ。掛け声だけではアドレスフリーは実現しません。

アドレスフリーは、働く人の自由度を高めるためのものです。

だからといって、会社は社員を野放しにすればいいわけではありません。社員を自由にする代わりに、会社側は社員を管理しようと、報告書や日報を大量に書かせようとしてしまいがちです。

クオリティソフトの社員にはアメーバ経営を導入した会社で働いた経験がある人がいるのですが、「書かなければいけないレポートが山ほどあって頭が痛かった」とこぼしていました。せっかく自由になっても、レポートを書くために時間を取られては効率化が台無しです。

時間も場所も自由になった社員のパフォーマンスをどうやって上げるのか？

アドレスフリーを進めるには、この課題を解消しなければなりません。

つまり、「エンドポイント・エンパワーメント」が不可欠です。

エンドポイントは端末、エンパワーメントは一人ひとりが力を発揮できるようにすることです。

クオリティソフトの主力製品は「ISM CloudOne」というクラウド型ＩＴ資産管理ツールです。この分野では、7年連続シェアナンバーワンを達成しています（デロイト トーマツ ミック経済研究所「内部脅威対策ソリューション市場の現状と将来展望 ２０２２年度」）。

このコロナ禍でも、クオリティソフトのサービスが世界中の8万社以上のパソコンを守ってきました。

そもそも、私たちのビジネスはエンドポイントで始まりました。アプリケーションに鍵をかけるＫｅｙＳｅｒｖｅｒはまさにエンドポイントのツールです。他社には真似できない私たちならではの強み、つまりコアコンピタンスこそ、エンドポイントのテクノロジーなのです。

そして今、セキュリティをはじめとするＩＴ資産管理にとどまらず、エンドポイント・エンパワーメントを実現するシステムづくりに取り組んでいます。

サイバー攻撃の脅威から守られるだけではなくて、仕事が楽になったり、効率的になったりするお手伝いをするのです。

具体的には、今日はどういうタスクに何時間かけたか簡単に把握できるようになるとともに、１日の報告書を書くのも楽になります。

マネジャーからすると、仕事を振り分けやすくなったり、メンバーの達成状況が見える化しやすくなったり、経営層からすれば、各部門の達成状況や負荷状況がわかったり、労務管理ができたりもします。

エンドポイント・エンパワーメントのシステムを構築することによって、アドレスフリーの流れはさらに加速するでしょう（エンドポイント・エンパワーメントについては２１７ページでも触れます）。

失われた雑談を復活させる「マジカブランカ」

アドレスフリーを実現するためには、もう1つ課題があります。それは、思い思いの場所で働く人たちの「雑談」の場をどう確保するか、ということです。

コロナ禍によるリモートワークで失われたのも、まさに雑談でした。上司や部下、同僚との他愛もない会話の重要性が今、改めて見直されています。江崎グリコの「オフィスグリコ」やサントリーの「社長のおごり自販機」が人気を博しているのは、多くの企業が社内コミュニケーションを円滑にしたいと考えていることの表れでもあるでしょう。

かつては喫煙コーナーや給湯室で雑談に花を咲かせたものです。そこは、立場や部署を越えたネットワークづくりの場になっていました。

最近のオフィスでは、おしゃれな休憩エリアやカフェを併設しているケースが少なくありません。そうした場所での雑談だからこそ、ビジネスのヒントを得たり、信頼関係を築いたり、気兼ねなく質問ができたり、部署を越えた人脈ができたり、あるいは趣味を同じくする人を見つけたりできました。

ところが、リモートワークになると社員同士のコミュニケーションが減らざるをえません。せいぜい、オンラインミーティングのアイスブレイクで雑談を交わす程度です。インターネットの大きな壁は「ちょっといい？」と気軽に声をかけられないこと。オンラインミーティングを開くには、時間を設定して、Ｗｅｂ会議ルームをつくってという手間をかけざるをえません。

リモートワークの普及と反比例するかのように、社内から雑談が失われていったのです。

しかし、この問題もクラウドテクノロジーが解決します。

それが、第1章で触れた「マジカブランカ」というクオリティソフトが独自開発したシステムです。

マジカブランカはオンライン会議システムですが、従来型との決定的な違いがあります。それは、複数の人の声を同時に拾えること。従来型のオンライン会議システムは、1つのマイクの音しか拾えませんでした。しかし、マジカブランカは同時に複数の人が雑談できます。

このマジカブランカを着想したのは、知り合いの社長から映像を高速で切り替えられるスイッチャーを紹介してもらったことがきっかけでした。私はそれを見た瞬間、「これは面白い！」と直感しました。このスイッチャーの機能がクラウド上で実現できれば、いろいろなことに応用できると考えたのです。

紹介してもらった製品は黒い箱型だったので、黒ではなく白にして、ホワイトマジックという名前にしようと考えました。しかし、それでは商標を取れないことがわかりました。それならスペイン語にしようと考えました。スペイン語でマジックはマジア、白はブランカ。マジアブランカより語感がいいのでマジカブランカと命名したのです。

このマジカブランカを使って、「マジックカフェ」というものを実現しました。

マジックカフェとは、いわば「バーチャルカフェ」。

各拠点に大きなモニターを置いて、マイクとスピーカーを常にオンにしておきます。社員はモニターの前にフラッと立ち寄って、コーヒーを飲みながら各拠点の人たちと雑談できるという仕組みです。もちろん、自宅からでもアクセスできます。

「そういえばさ、仙台の採用ってどうなってるの？」

「昨日、面接に来ていたよ。すげぇいい人が来たって○○さんが言っていたよ」
「まじで？　じゃあ、給与とか条件を上げてでも採用したほうがいいかもね。後で○○さんに連絡してみるよ」
といったように、気軽な情報交換から次の打つ手が見つかるケースもあるでしょう。

地方の拠点に勤務する若手社員の場合、オンラインミーティングで本社の幹部と接すると、緊張を強いられるでしょう。しかし、マジックカフェでの雑談なら、幹部と趣味の話で盛り上がる、というシーンが見られるかもしれません。

マジカブランカは、社員たちのアイデアによってどんどん進化しています。たとえば、「ちょっともしもし」と特定の人にアプローチできるノック機能を追加して、一対一で対話できるようにもしました。マジカブランカは、よりリアルなコミュニケーションに近づいているのです。

マジカブランカによって、リモートワークのデメリットの1つが解消できるとともに、アドレスフリーの実現を加速させることができるのです。

大切なのは、物理的距離より「心の距離」

テクノロジーが進めば、物理的にどこにいるかはそれほど重要ではなくなります。旧来型のオフィスでは、誰がどこに座るかという席順が明確でした。「ちょっとあの人に聞いてみよう」というとき、席を見ればその人がいるかどうかすぐにわかりました。しかし、アドレスフリーに移行すれば、物理的にどこにいるかよりも大切なのは、どのチームでどんな人たちとつながっているかといった「心の距離」になります。

つまり、物理的な在席マップではなく、「心の在席マップ」があればいいのです。この心の在席マップさえあれば、誰が誰と何をしているのか明確になります。クオリティソフトはこの心の在席マップの開発も構想しています。

目指すは「ザ・クラウドカンパニー」

クオリティソフトの構想は、エンドポイント・エンパワーメントにとどまりません。さまざまな機能を統合していって、いずれは知的産業のＥＲＰ（統合基幹業務システム）にしたいという大きな夢を抱いています。

たとえば、経理や給与計算、労務管理など、さまざまな作業がクラウドサービスで提供されるようになりましたが、雨後の筍のように立ち上がったいろんな会社のサービスを利用しているのが実情です。しかし、別々のサービスを利用しながら、データ自体は重複しているケースが少なくありません。

これらをすべて1つにまとめられたら、ローコスト&ハイパフォーマンスになります。クオリティソフトのコアコンピタンスであるエンドポイントを起点に、会社として必要な機能を丸ごとクラウドに乗せるイメージです。

いずれは、すべての社内システムをクラウド化して、自社基盤で運用したい。さらに、すべてのサービスをクラウドサブスクリプションに移行させたい。

私たちが目指すは「ザ・クラウドカンパニー」。

会社は「雲の上」にあるのです。

ビジネスは雲の上で展開します。

社員は、どこにいても雲の上の会社で働ける。集まりたければ、海でも山でも街でも、好きなオフィスに出向いて仲間たちと交流できる。

せっかく集まるなら、オフィスはきれいなほうがいい。居心地がいいほうがいい。だから白浜本社も松本も仙台も、オフィスの快適さを大切にしています。

こうした夢のような世界が実現できるのも、クラウドの技術があるからです。

「面白き　こともなき世を　面白く」

「面白き　こともなき世を　面白く」

これは、高杉晋作《たかすぎしんさく》の辞世の句といわれています。この面白くない世の中を面白く生きるかどうかは自分次第だ、というのです。

「ワイワイガヤガヤ　面白いことやろう」

クオリティソフトの企業理念のこの一節にひかれて入社して来る若者が少なくありませ

ん。

多くの企業の理念は「社会に貢献する」「顧客満足度を追求する」「三方良し」「イノベーションを起こす」といったものでしょう。面白さを掲げる会社は多くはないはずです。きちんとお金を稼ぐことも、顧客に貢献することも、社会に貢献することももちろん大事です。しかし、私自身は面白いことをやりたい。

みんなワクワクして取り組めば、仕事もはかどります。

何より、面白いことをやったほうが楽しいじゃないですか。

「お前やれ」ではなく、みんなでワイワイガヤガヤ「こっち行きたいね」「そのためにはどうしようか？」「これやらない？」「こうしよう」と、意見が飛び交うような職場でありたい。

しかも、社内に限らず、イノベーション・スプリングスで外部の人たちともワイワイガヤガヤやるのが私たちのスタイルです。

たとえば、南紀白浜空港では一人乗り小型電気自動車のレンタルサービスをしています。

社員のアイデアで、クオリティソフトの社員証を見せるだけで小型電気自動車を手続きなしで借りられるようにしました。請求書は会社に送られてくるようにしたのです。

南紀白浜空港のボーディングブリッジには大々的にクオリティソフトの広告を出しています。これも社員の発案です。白浜本社の敷地内の畑で芋を作って収穫しよう、というのも社員のアイデア。

みんなでワイワイガヤガヤ気兼ねなくアイデアを出せる企業には、自ら面白いことをやりたい人が集まるのです。

鶏口牛後

クオリティソフトの本社が東京都千代田区にあったとき、私は千代田区長と面識はありませんでした。向こうも私を知らなかったはずです。ましてや東京都知事と知り合うこともありませんでした。

しかし、南紀白浜に来てからは違います。

白浜本社は、他の都道府県から和歌山県に経済や教育関連の視察に訪れる人の見学コースになっています。あるいは、リモートワークを研究している研究者もお見えになります。クオリティソフトは従業員数200人弱の企業ですが、和歌山県内ではそれくらいの存在感があります。おかげで、和歌山県知事や副知事ともお話ができるようになりました。

東京の事業所数は約63万。これに対して和歌山県は約5万。10分の1以下です。しかも、和歌山県で自社のITプロダクトをつくっている企業はほんのわずか。東京では埋もれても、和歌山では埋もれようがありません。目立とうとしなくても、勝手に目立ってしまうのです。地域活性化に貢献すると、自治体からもとても大切にしてもらえます。

「鶏口《けいこう》となるも牛後《ぎゅうご》となるなかれ」ということわざがあります。

これは、大きな組織のうしろにくっつくよりも小さい組織の先頭に立て、という意味です。

東京では牛後になってしまっても、地方なら鶏口になれるのです。

地方ならナンバーワンになれるのです。

そもそもオンリーワンです。

One and only、唯一無二です。

だからといって、和歌山で唯一無二であることで満足する気はさらさらありません。

アメリカ出張から帰ってきた若い社員は、「日本で一番になるのは当たり前です」と社員全員の前で堂々と宣言しました。

「私たちの進む方向は間違っていません。アメリカを見ても、私たちのテクノロジーはそれほど遅れていません。日本で一番になるのは夢物語ではないのです」

そう言い切ったのです。


都会にある企業にももちろん良さはあります。

しかし、地方の会社で働くからこそ、実現できることもあるのです。

大自然に囲まれた静かなオフィスだから、仕事に集中できます

クオリティソフト　開発ギルド 兼 アトリエチーム
入社2年目　21歳
国立高等専門学校卒

私は高専2年のとき、授業の一環でクオリティソフトに見学に来たことがあります。そのとき、本社の敷地が広くて緑が多く、すぐそばに海が広がっていて、自然豊かなことが強く印象に残りました。こんな所で働いてみたいな、と漠然と思いました。

高専4年では、クオリティソフトの「在席マップ」を開発する授業がありました。チームでそれぞれ開発して、社内の技術者にプレゼンするという取り組みです。

私がプログラミングを始めたのは小学校3～4年のとき。もともとはゲームづくりに興味がありましたが、次第に「変なもの」をつくりたいと考えるようになりました。変なものとは、普通は誰もつくらないようなものです。

当社と何度か接点を持つにつれて、「クラウドで独自のサービスを手がけるこの会社に入れば、誰もやらないような新しいことができそうだ！」と感じたことが入社の決め手でした。

私の担当は社内システムの刷新ですが、R&Dを担うアトリエにも所属しています。アトリエでは、和歌山大学との共同研究で、クラウドシステムの最先端技術を研究しています。たまに和歌山大学にも行っています。

社内にはハイレベルなエンジニアがたくさんいます。私自身も技術力を高めていって、クラウドの運用をマスターしていきたいと思っています。英語で研究発表する機会があるかもしれないので、英語も話せるようになりたいですね。

コロナ禍の最中は社内イベントがあまりなかったのですが、「浦社長と食事で健康昼食会」というのが開かれました。そのとき、私は社内で使っている開発ツールについて「コストや開発のしやすさを考えると、別のものを使ったほうがいいのではないでしょうか？」と提案しました。若手社員が社長に対して直接提案できるのは、風通しのいいクオリティソフトならでは。これからも積極的に提案して会社を良くしていきたいと思います。

白浜本社はとても自然豊か。外から聞こえる音は波の音くらい。集中して仕事ができる環境だと思います。

バイクを買ったので、ツーリングをして南紀の大自然を満喫したいですね。

第5章

今、人気の企業より、5年後伸びる会社を選ぼう

「就社」ではなく「就職」を

「日本は就職ではなく、就社になっている」

これはかなり前から指摘されていることです。

新卒採用市場では、大手企業のほとんどが総合職採用です。メーカーなどは事務系の総合職と技術系の総合職に大まかに分けていますが、配属先や職種は入社後の研修を経て決まるのが一般的。とりわけ文系は、営業なのか総務なのか経理なのか、入社してみなければ自分がどんな仕事をするかわかりません。

企業側は「これをやりたい」と明確に主張する学生よりも、むしろ「何でもやります！」と言う学生を好む傾向すらあるのです。

そうなると、学生は仕事を選びようがありません。就職先は会社で選ぶしかないのです。日本の学生たちは就職活動と言いながら、就社活動をせざるをえないのが現実です。

しかし、これからは人生１００年時代。80歳まで現役だとすると、大学を出てから60年近く働くことになります。

しかも、２０２５年からは、すべての企業で65歳までの雇用確保が義務化されます。これからは長く仕事を続ける人が増えていきます。

ちなみに、今は60歳定年が主流ですが、高度成長期は55歳定年が一般的でした。55歳といえば、今はまだ現役バリバリ。かつては大学を出てから30年余りしか働かなかったのです。終身雇用の慣行のもとで、30年余り同じ会社で働くのなら、就社でもとくに支障はありませんでした。


定年が延び、人生１００年時代になって60年間働くとなると、１つの会社で勤め上げる可能性は極めて低くなるでしょう。今でもすでに転職が当たり前の世の中になりました。

リクルートの「就業者の転職や価値観等に関する実態調査２０２２」によると、20代ですでに約４割弱が転職を経験しています（次ページ図５）。また、40代、50代までに６割程度が転職を経験しています。

人生１００年時代を想定すると、20年で１社としても、少なくとも３社は経験することになります。

図５　転職経験状況（現在「正社員・正職員」の20〜50代就業者/単一回答）

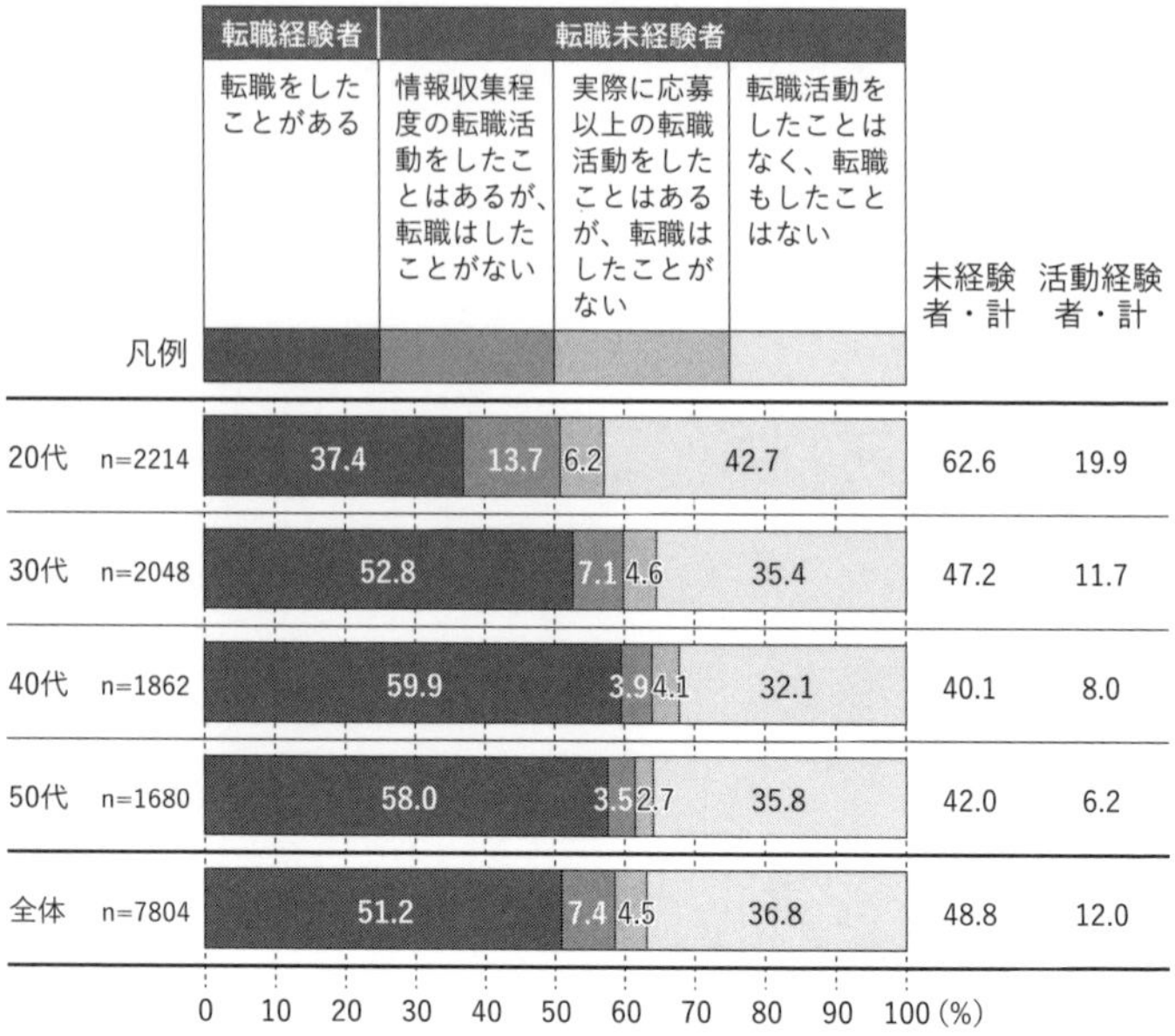

※四捨五入により、合計が100%にならない場合がある

出典）リクルート「就業者の転職や価値観等に関する実態調査2022」

そうなると、生き抜くために必要になるものがあります。

「どの会社でも通用するスキル」です。

これは「**ポータブルスキル**」と呼ばれています。

就社が定着している日本では「その会社でしか使えないノウハウ」しか身につかないことが問題視されていました。40〜50代で転職しようにも、他社では使いものにならない人材になっている恐れがあるのです。

しかし、ギルド組織になれば、就社ではなく、必然的に就職にならざるをえません。

「クラウドを開発したい！」
「面白いものをつくりたい！」
「ドローンで1人でも多くの命を救いたい！」

といった「やりたいこと軸」で仕事を選ぶことになるのです。会社に属するのではなく、「プロジェクトに属する」からです。

やりたいプロジェクトが立ち上がったとき、プロジェクトマネジャーからお呼びがかかるようなスキルの高い人材になっていなければなりません。

もともとＩＴエンジニアは営業や事務といった他の職種に比べれば、就職的な色合いが濃い職種でした。「ソフトウェアを開発したい」という明確な目的意識を持って就活するからです。

しかし、「これをやりたい」ということよりも、待遇のいい大手企業を選ぶという就社的な側面があったのも事実。

Z世代はお金にこだわらないといっても、同じような仕事をするなら待遇がいいほうを選ぶでしょう。

一般的に、中小企業より大手企業のほうが待遇がいい。しかし、大手企業は給与テーブルに従って昇給していくケースが大半。

その点、85ページでも述べたように、会社の役職と切り離されたギルド組織なら、モチベーションが変わります。

なぜ株式を上場しないか

就社の危うさは、ポータブルスキルが身につかないことだけではありません。どんなに大手で安定しているとされる企業でも、社員の雇用が守られるとは限らないというリスクもあります。

アメリカの大手IT企業では2022年11月ごろからリストラの嵐が吹き荒れました。グーグル、アップル、フェイスブック（現メタ）、アマゾン、マイクロソフトのいわゆるGAFAM各社だけで約5万人がリストラされました。

2020年からのコロナ禍によるオンライン化やECビジネスの成長によってIT業界は業績好調になり、人材を大量に採用しました。ところが、ポストコロナへと世界が移行するにともなって、成長が鈍化したのです。

あれだけ勢いのあったGAFAMですら、外的要因によって業績が大きく左右されるのです。

大量リストラの背景には、株主の意向を無視できないという側面があるでしょう。上場企業は社員よりも株主を優先せざるをえないのです。

実は、私は株式を上場しようと本気で考えたことがありました。しかし、結局やめました。株式を公開してしまうと、自分たちがやりたいことができなくなってしまうからです。

クオリティソフトは国産クラウドを開発していますが、このことをよく思わない勢力が株主になって横やりを入れる恐れがあります。株式を上場すると、株主の奴隷にならざるをえません。自分たちが「こうあるべきだ」という考えよりも、株主の意向を優先せざるをえないのです。

どんなに安定した大手企業でも、勢いのある成長企業でも、市場の変化や株主の意向といった外的要因には抗《あらが》えないことが多い。

安定しているといわれている企業に就社することよりも、自らが成長できる企業を選ぶことのほうがむしろ生活の安定につながるのではないでしょうか。

「出戻り」歓迎

「もっとコンシューマー（消費者）に近い所で勝負したい！」

あるとき、クオリティソフトのデザイナーがそう打ち明けました。

「Ｗｅｂデザイナーとして、もっと自分の可能性にチャレンジしたい」

と言うのです。

「力がついたら辞めてもいいよ。やりたいことがあるなら、ほかに行くという手もあるよ」

私がそうアドバイスしたら、力をつけて本当に辞めて都会に出て行きました。

もちろん、本当は辞めてほしくはありません。しかし、私自身が大手企業を辞めて自分のやりたいことをやっているように、本人の都合をないがしろにはできません。会社の戦力を失うのは痛手ですが、個人の夢を最大限に応援したい。辞めると路頭に迷いそうだったら止めなければなりませんが、**輝かしい未来の可能性があるならば、送り出してあげるべき**だと思います。

「貢献と成長」がクオリティソフトの理念。ここにいるよりも、ほかに行ったほうが成長するのならば、その道を歩ませてあげないと、社会全体の損失かもしれません。

ただし、ギルド組織に移行してからは、本人の夢と会社の意向をすり合わせしやすくなったのも事実です。

夢を追いかけて退職した社員が、うまくいかなかったとしてもギルド組織の一員として気兼ねなく戻ってくることができるからです。あるいは、別の会社に籍を置いたまま、副業でクオリティソフトの仕事を続けることも可能です。

実際に、「ギルド組織があるので、また戻ってきます！」と宣言して辞めていく社員もいます。

かつては会社を辞めたら、元同僚との人間的なつながりは続いても、仕事のつながりが失われることが大半でした。しかし、採用難の最近は「出戻り社員」を歓迎する企業が増えています。ギルド組織なら、多様な出戻り方が可能になるのです。

スキルが高いほどアドレスフリー度が高まる

コロナ禍によって大きく変わったのは、ポータブルスキルを持つ実力のある人材は、仕事選びの選択肢が広がったこと。地方に住んだまま、東京の会社にリモートで勤務するような道が拓けたからです。第3章で紹介したキャスターやソニックガーデンのような会社が少しずつ増えてきました。

かつてはどんなに実力があっても、出社できなければ採用されませんでした。しかし今は違います。接客や建築といった現場にいなければ成り立たない仕事もありますが、そうでなければ実力さえあれば、どこにいても仕事を見つけられるのです。

アドレスフリーには会社との距離の取り方が複数あります。従来の正社員のようにオフィスでフルタイムで働く形態がある一方で、契約社員として会社の近くで働いたり、業務委託でスポット的に働いたりといった柔軟なスタイルが可能になります。もちろんフルリモートで、地方で勤務するということもありえます。

たとえば、女性社員が結婚して、その後、夫が北海道に転勤になったとします。この場合、彼女が夫とともに北海道に引っ越しても仕事を続けることも可能です。

実際に、家庭の事情で長野市に引っ越して、フルリモートで働いているスーパーエンジニアもいます。

スキルの高いプロフェッショナルなら、働き方の幅が広がるのです。

中学男子のなりたい職業ナンバー2は？

あなたは子どものころ、どんな仕事に就きたかったですか？

サッカー選手や野球選手、医者、宇宙飛行士、パティシエ、看護師といった人気の職業に憧れた人も多いでしょう。

第一生命保険が毎年「大人になったらなりたいもの」アンケートを実施しています。この調査で、2021年から23年まで小中高の男子すべてで3年連続1位だった職業は何かご存じですか？

ズバリ「会社員」です。

営業や経理、エンジニアといった個別の職種ではなく、「会社員」。一般的に会社員は正社員のことですから、「正社員になりたい」とほぼ同義です。これは、やりたい仕事というよりも、なりたい身分です。

就職ではなく就社の意識が子どもたちにまで根づいていることの表れかもしれません。会社に入って何をやるかではなく、会社に入ることが目的化しているのです。

男子中学生の2位は、ゲームクリエイターやユーチューバーを抑えてITエンジニア／プログラマーでした。

男子高校生は1位が会社員、2位が公務員と超安定志向ですが、3位にITエンジニア／プログラマーが入っています。

ちなみに、中国やインドといった発展著しい国の共通点はＩＴエンジニアの人気が極めて高いこと。優秀な人材がこぞってＩＴ業界を目指します。アメリカでもＩＴエンジニアの地位は高く、平均年収は日本の2倍といわれています。

ＩＴが未来ある業界であることは世界共通の認識。なかでもＡＩの技術はこれからの世の中を大きく変えていくでしょう。ＩＴエンジニアは社会のありようそのものに影響する職種なのです。

一方で、シリコンバレーに代表されるように、ＩＴ企業にはオシャレなオフィスでスマートな働き方をしながら、ＡＩやＩｏＴといった最先端テクノロジーを開発しているイメージがあるのでしょう。

ただ、日本ではＩＴエンジニアの働く環境にはブラックなイメージが根強く残っていました。今もそうしたイメージを持つ大学生も多いそうです。

しかし34ページで述べたように、ＩＴエンジニアの働く環境は激変しました。情報感度の高い中高生たちはこうした社会の変化を敏感に察知し、先端性や格好良さに憧れを抱いているからこそ、人気2位に位置しているのでしょう。

ＩＴ業界とひと口にいっても……

ただし、ＩＴエンジニアが人気職種だといっても、どの会社に入るかによって仕事内容は大きく変わります。ＩＴ業界にはいろんな業態があるからです。しかし、具体的にどんな業態があるかは、意外と知られていないようです。ＩＴエンジニアという職種を選んだとしても、やはり就社より就職という視点が欠かせません。

ＩＴ業界とひと口にいっても、クオリティソフトのようにシステムの開発を主軸にしている会社のほかにも、会計・経理サービスをクラウドで提供している企業もあれば、ネットワークやサーバの運用・保守を主軸にしている会社もあります。大型プロジェクトの元請けになって開発を率いる大手システムインテグレーター（ＳＩｅｒ）、Ｗｅｂサイトの構築やＥＣサイトの運営など、実にバラエティに富んだ業態があるのがＩＴ業界です。

ソフトウェア開発に限ってみると、大きく2つのタイプに分けられます。クオリティソフトのように自社プロダクトを開発している会社と、顧客のシステムを開発している請負型・派遣型の会社です。

ソフトウェアを開発するという意味ではどちらのタイプも同じですが、実は大きく異なる側面があります。

自社プロダクトを持つＩＴ企業で働く魅力は、企画から開発、販売後のアフターフォローまで、商品のライフサイクルに丸ごとかかわれること。愛着のある自社商品に情熱を注げるのです。自分が開発したシステムが顧客にどのように使われていて、どのように評価されているのかもダイレクトにわかります。つくって終わりではない厳しさこそありますが、やりがいも大きなものです。

実際に、クオリティソフトに入ってくるＩＴエンジニアは、自社プロダクトを持っていることを志望理由に掲げるケースが少なくありません。

一方で、自社プロダクトを主軸にすることのマイナス面もあります。それは、ずっと同じプロダクトにかかわらなければならないこと。ともするとマンネリになったり、自分自身の技術の広がりに欠けたりする面があります。

ただ、クオリティソフトの場合、ギルド組織によってこのデメリットを解消できます。

会社として「今後の社会はこうなっていくから、こういう技術が必要だ」と、戦略的に人を育てる視点を持って仕事をアサインしていけるからです。本人も「次は別のことをやりたい」ということを実現できます。

一方で請負型のＩＴ企業で働くメリットは、多種多様な顧客のプロジェクトを経験しながら腕を磨けること。大きなプロジェクトなら、ＳＩｅｒのもと、いくつもの会社のエンジニアが集まって開発するケースが珍しくありません。たとえば、あるメガバンクのシステム統合プロジェクトでは、１０００社、ピーク時は８０００人がかかわったそうです。いわば「他流試合」を重ねながら、技術の向上が図れるのです。

一方で、請負だと自分の仕事がどのように顧客に貢献しているのか見えにくいという側面があります。プロジェクトを転々としなければならないというのもデメリットに感じる人がいるでしょう。

このように、同じＩＴ業界でも、業態によって仕事スタイルは大違い。事前にきちんと調べる必要があるのです。

いずれにしても、技術力を伸ばして自分を磨けるような会社、これから伸びる分野を手がけている会社を選ぶことが大切です。

こうしたことはＩＴ業界に限りません。他業界でも同じように多様な業態があります。たとえば不動産業界。最も身近なのは、アパートやマンションを借りるときにお世話になる街の賃貸仲介会社でしょう。貸し借りではなく、売り買いをメインにしている売買仲介会社もあります。デベロッパーと呼ばれる財閥系の大手不動産会社は、ビルや商業施設、マンションの企画開発が主軸。ほかにも、マンション管理、アパート建設、投資マンション販売といった会社もあります。

業界そのものというよりも、**「その会社で何ができるのか？」に焦点を当てる**ことが大切です。

私が新卒で会社を選んだ理由

誰もが知るブランド力のある会社、大手企業、東証プライムに上場している会社。これらは世間的に「いい会社」と見なされています。総合商社やメガバンクは優良企業の代表格かもしれません。

いい会社に入れば、まわりから「すごいね」と持てはやされるでしょう。親も安心させられます。最近は終身雇用とは言えなくなってきましたが、それでも会社が倒産する確率は中小企業よりも圧倒的に低い。待遇もいい。まさに、いい会社です。

ただし、いい会社に入ったからといって、自分がやりたいことができるとは限りません。むしろ、自分のやりたいことを捨てて地位と収入と安定を手に入れる側面が大きいでしょう。せっかく大手に入っても、退職して起業する人がいるのは、やりたいことを優先する決断をしたからにほかなりません。

クオリティソフトにも、就職活動のときに大手企業を蹴ってあえて選んでくれる学生もいます。

「自分のやりたいことができる会社」

これも自分にとっていい会社なのではないでしょうか。実際に、クオリティソフトに入ってきた若手に聞いてみたら、「ここなら自分がやりたいことができそうだと思った」「チャレンジしたい」というのが入社の理由でした。

だからといって、私は安定志向を否定するつもりはありません。誰もがチャレンジすべきだというわけでもありません。やりたいことをやる前に生活を安定させたい、という人もいるでしょう。クオリティソフトは挑戦したい人にはハッピーな職場です。挑戦よりも安定を求める人は、別の会社を選んだほうがハッピーでしょう。

どの仕事を選ぶかは自分の志向次第。きちんと自分の志向を明確にして、それに合った仕事を選べばいいのです。

ちなみに、私が新卒で音響機器メーカーを選んだのは、音楽が好きで、外国に行きたかったからです。

私の家庭は裕福ではなかったので、海外留学には行きたくても行けませんでした。本当は海外に永住したかったのですが、私には浦家の跡を継ぐ必要がありました。それで、海外研修制度があるそのメーカーを選んだのです。

そして運よく社内試験に合格して、アメリカに赴任できました。

私自身、100%やりたいことで会社選びをしたのです。

すべてが揃っている理想の会社なんて存在しない

安定を選ぶか、それともやりたいことを選ぶか。この二者択一でなくて、安定も挑戦も給料の高さも面白さもやりたいことができる環境も、すべてが揃っている会社が理想ではあるでしょう。

しかし現実には、そんな会社を見つけるのは至難の業《わざ》。

私が翻訳を捨ててソフト販売に業態転換したように、何かを始めるには何かを捨てなければなりません。自分がやれることの容量は決まっているのです。

もしかすると、クオリティソフトは面白いことを優先するがために、利益を落としている部分があるかもしれません。利益にならなくても面白いことに投資してしまうからです。

仕事選びも、何を優先するかが大事。**優先順位を整理することによって、自分が選ぶべき仕事が見えてくる**はずです。

「フル出社」の職場を脱出する若者たち

大手金融機関のJPモルガン・チェースのジェームズ・ダイモンCEOは「テレワークによって多くの社員の生産性が低下した」と発言しました。

マイクロソフトはコロナ禍のテレワークのデータを調査した結果、社員の生産性や長期的なイノベーションの面でマイナスに影響していることがわかりました。

テレワークによって必ずしも生産性が上がるわけではないことは、日本のさまざまな調査でも明らかになっています。たとえば、野村総研の2020年の調査によると、テレワークで生産性が下がったと答えた人は48％にのぼりました。

あるIT企業はコロナ禍前からリモート勤務OKでしたが、社員たちは「もう自宅で仕事するのは疲れた。出社したい」と言い出したそうです。

ただ、野村総研の調査では、役員・管理職はテレワークで生産性が上がったと回答した割合が高かったのです。自律して仕事をするか、やらされているかが分かれ目になっていると見ることができます。

プロなら、どこでも仕事ができます。映画監督もデザイナーもカメラマンも作曲家も、遥か昔から会社に属さない人が大半。プロとして高いパフォーマンスを発揮できる人にとって、出社するかどうかはどうでもいい問題です。

私が考えるプロとは、給料以上の仕事ができること。会社から期待されていることのプラスアルファができる人です。自己管理もできなければなりません。

日本では2023年5月以降、リモートワークから出社へと移行する企業が増えています。すると、出社を嫌がる若手がリモートワークの可能な企業へと転職する動きが目立つようになりました。

フル出社企業からの脱出です。

このようにコロナ禍の3年間、リモートワークが当たり前だった若者たちの中には、週5日のフル出社は耐えられないと考えている人が少なくありません。

こうした流れに対応するには、リモートワークと出社をもっと柔軟に組み合わせればいいと考えます。

これからのオフィスは、仕事をする場というよりも、気が向いたときにちょっと顔を出

して、「おっ、いたいた」と声をかけるような、「たまり場」みたいな空間になるのかもしれません。そのためにも、居心地のいい場所でなければならないのです。

イーロン・マスク氏は強制的に「会社に出て来い！」と宣言しましたが、「みんなが集まっているから自分も行こうかな」と思わせるようなオフィスにするというのが私の考えです。

「汚い所で働きたくありません」

「松本には事務所はあるけど、オフィスがないんです……」

あるとき、長野県松本市にあるクオリティソフトのオフィスを訪問してきた学生がそんなふうにこぼすのを耳にしました。松本には旧来型の日本的事務所はあっても、シリコンバレーにあるようなオフィスはない、という意味です。

あるアルバイトの学生には「汚い所で働きたくありません」とはっきり言われました。

同じ働くなら、気持ち良く仕事ができる快適な場所に越したことはありません。ダサいオフィスで働きたくないという気持ちは私にもよくわかります。だから、白浜本社をはじ

松本オフィスの台形と長方形のデスク

め、各支社のオフィスのレイアウトやデザインにはこだわっています。

松本オフィスは、「限られたスペースを3倍に使おう」がコンセプトで、可変式のレイアウトにしています。

デスクは台形と長方形を組み合わせることによって、集まりたいときはデスクどうしをくっつけられるようにし、1人で作業に集中したいときは窓側に移動できるようになっています。

仙台オフィスは、杜の都を象徴する定禅《じょうぜん》寺《じ》通に面した好立地。名物のずんだカラーを取り入れています。仙台オフィスも松本同様、可変式のレイアウトです。

一方で、今でも多くの企業が「島型レイアウト」を続けています。

島型レイアウトとは、たとえば、誕生日席に課長がいて、課員がお互いに向かい合っているスタイル。新人は末席にいて、主任、係長とステップアップすると、課長の近くに席が移動していきます。さらに、窓際には部長ら幹部が全体を見渡すように座っています。昭和から変わらぬ〝事務所〟の風景です。

課内の連携を取りやすい島型レイアウトは、課長、係長、主任、平社員という縦のヒエラルキーに適したレイアウトです。

しかし、現代的でフラットな組織になっているITベンチャーで島型レイアウトを取り入れている企業は少ないでしょう。たいてい居心地の良さと見た目を重視したおしゃれなデザインになっています。IT企業は座り仕事の時間が長いので、チェアにこだわっているケースも多くあります。

オフィスを見れば、その企業の組織構造や経営者の感覚がわかるのです。

図6　就活生が重視するのは「社員の雰囲気」

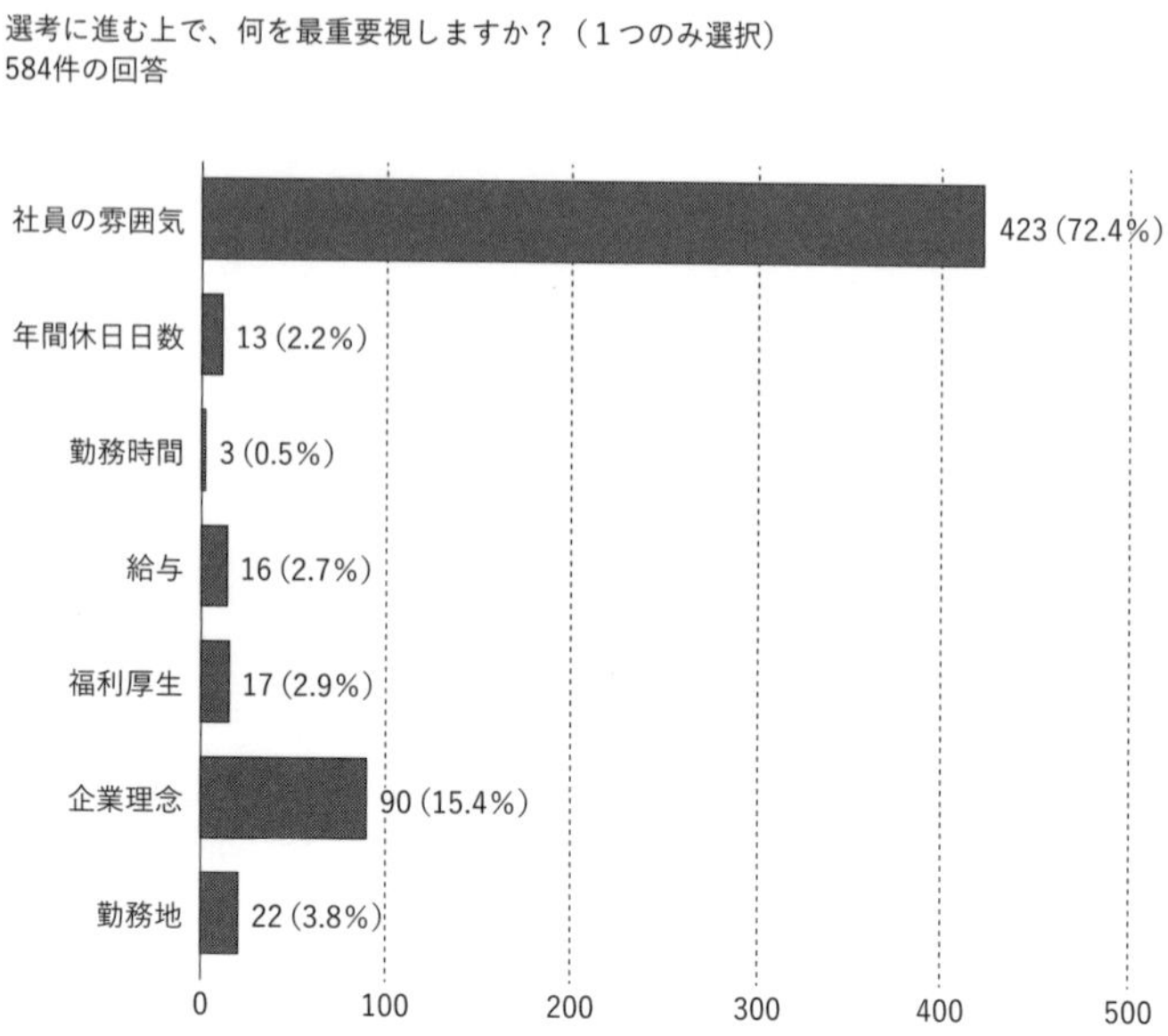

出典）リソースクリエイション「コロナ禍におけるＳＮＳ就活の実態」2022年

7割が「雰囲気重視」

人材ソリューション事業などを展開するリソースクリエイションによる「コロナ禍におけるＳＮＳ就活の実態」（２０２２年、図６）によると、「選考に進む上で、何を最重要視しますか？」という質問に対する回答で圧倒的に多かったのは「社員の雰囲気」でした。実に72・４％にものぼります。２位が企業理念で15・４％ですから、いかに学生が雰囲気を重視しているかがうかがえます。

それでは、会社の雰囲気はどうやって知ることができるのでしょうか？

ホームページの採用情報や就活ナビサイトに掲載されている広告を見ると、すべての企業が雰囲気の良さをアピールしています。写真には、笑顔でイキイキ働いている若手社員がこれでもかと登場することでしょう。その多くがプロのカメラマンによる「作品」ですから、「雰囲気は入社してみなければわからない」とよくいわれます。

しかし、入社しないでも社員を疑似体験できるのが「インターンシップ」です。近年は、インターンシップが入社の決め手になるケースが主流になってきました。

転職の場合は難しいかもしれませんが、学生ならインターンシップこそ、会社の実態を知る近道なのです。

会社説明会は、あくまでもよそ行きの対応です。しかし、実際に働いてみれば、その会社の雰囲気や人間関係のリアルを実感できます。

インターンシップの期間は「ワンデイ仕事体験」から1年に及ぶものまで企業によってまちまちです。

クオリティソフトでも、ドローンプログラミング体験のインターンシップを実施しています。ドローンを動かすためのプログラミングを体験して、実際に飛ばしてみるというものです。

クオリティソフトのインターンシップに参加して入社を決めたある社員は「インターンシップのとき、技術力が未熟であった私に対しても真摯《しんし》に向き合ってくださり、今後のために激励いただけました」と志望動機に書いていました。インターンシップで感じた雰囲気の良さが入社の決め手になったようです。

インターンシップに参加すれば、会社の雰囲気を体感できるだけではありません。気になるポイントの2位である**企業理念が実際に現場に浸透しているか、それとも形骸化しているかも見抜くことができる**はずです。

「変わらぬ味」も実は変わっている

企業の寿命は30年といわれています。

東京商工リサーチの2022年の調査では、日本企業の平均寿命は23・3年でした。

どんな企業でも成長し続けることはありません。一般的に、企業には5つのライフサイクルのステージがあるといわれています。①創業期、②成長期、③成熟期、④変革期、⑤衰退期の5つです。今、成長している企業でも、いずれ衰退していきます。

それでも、日本は世界で最も100年企業が多い国として知られています。「はじめに」でも述べましたが、世界の100年企業の実に約半分が日本にあるのです。

ではなぜ、長寿企業はライフサイクルに打ち勝って長きにわたって存続しているのでしょうか？

100年企業に共通するのは、「変化を恐れない」ことです。

たとえば、「とらやの羊羹《ようかん》」で有名な虎屋は500年企業。ずっと伝統の味を守ってきていると思いきや、時代に合わせて変えてきているといいます。さらに、トラヤカフェなど新たなチャレンジにも貪欲《どんよく》です。

「変わらぬ味」といわれている老舗の人気飲食店も、実は味を少しずつ変えています。味が変わらなければ、舌が肥えていく顧客から「味が落ちたね」と受け取られてしまうからです。**研究を重ねて改良するからこそ、いつも変わらぬ味だと感じてもらえる**のです。

世の中の変化のスピードはどんどん速くなっています。急成長したＩＴベンチャーですら、数年で苦境に立たされることも珍しくありません。

できれば5年後、10年後も成長を続けている会社を選びたい。そうすれば、自らのチャンスも広がるはずです。

しかし、それは簡単ではありません。

少なくとも、変化を恐れずに次の手を打っている会社を選ぶべきではないでしょうか。

第6章

都会と地方、あなたはどちらで働きますか？

地方暮らしは「気持ちいい」「お財布にいい」

私が南紀白浜に転居して実感しているのは、想像していた通り、東京とは比べものにならないくらい物心ともに豊かな生活を送れることです。

まずは自然。南紀白浜は美しい海が広がるビーチリゾート。白浜本社のすぐそばにある金刀比羅《ことひら》神社の展望台は、信じられないくらいの絶景ポイントです。ここで少しの時間を過ごすだけで心が洗われます。屋根とベンチがあるので、仕事だってできてしまいます。

南紀白浜といえば海ですが、私がひそかに気に入っているのは川です。本社のすぐ近くを高瀬川という小さな川が流れています。紀伊半島はその大部分を紀伊山地が占めていて、まさに山また山。ほとんどが山林です。7キロ、クルマで10分もさかのぼれば、そこは源流。海とは違った癒やしの空間があります。

東京では食べられない海の幸も絶品です。

たとえば「モチガツオ」。モチモチしていて、普通のカツオとは食感がまるで違います。この感動的なモチモチ感は、死後硬直が始まる前だから味わえるのです。港町ならではの食べ物です。東京から来てはじめて食べた人は、みんな目を丸くして驚くほどのおいしさです。

そして何といっても「紀伊山地の霊場と参詣道」として世界遺産に登録された高野山《こうやさん》や熊野古道。世界的に人気の観光地であることから、海外からの観光客もたくさん散策しています。

消費財の物価は都会も地方も大きくは変わりません。しかし、不動産は圧倒的に地方のほうが安い。

総務省の「平成30年住宅・土地統計調査」によると、平均家賃は東京が約8万1000円であるのに対して、和歌山県は約4万1000円でした。実に東京の半額なのです。

都会で戸建《こだ》ての物件を買おうものなら数千万円しますが、地方なら中古住宅が余っているので、それよりゼロが1つ少ないくらいの物件がいくらでもあります。

これで給料が同じなら、いかに豊かな暮らしができるかが想像できるでしょう。

「田舎は仕事が少ない」が解消されつつある

以前は、都会と比べて地方は仕事が少ないという大きな問題が立ちふさがっていました。しかし、何度も述べているように、コロナ禍を機にリモートワークを導入する会社が増えています。全員がフルリモートでなくても、地方在住の社員はフルリモートで採用する企業も珍しくありません。また、通勤できるかどうかよりも、スキルを重視して採用する企業も増えてきています。

あるいは、月1日出勤、週2～3日出勤など、リモートワークと出社を織り交ぜたスタイルもあります。

たとえば、長野県の軽井沢に自宅を構え、月曜の朝に都内に出てホテル暮らしをし、金曜の夕方に再び軽井沢に帰るという生活をしていた人がいるとしましょう。それが週2日出社になれば、月曜と火曜だけ東京に出て、残りはすべて軽井沢で過ごすことも可能です。

加えて、近年はデュアルライフ（二拠点生活）が注目されています。これは、都会と田舎にそれぞれ家を持って、都会暮らしと田舎暮らしをどちらも楽しむというライフスタイルです。

デュアルライフは地域活性化や空き家対策などになることから、国や自治体も推進しています。リクルート住まいカンパニーが２０１８年に実施した調査では、年間17万人以上がデュアルライフを送っていると推計されています。こうしたデュアルライフとアドレスフリーも相性がいいといえます。

かつて「営業は足で稼ぐ」といわれていました。靴底を減らし、数多く訪問してナンボの世界だったのです。電話やメールで用事を済まそうとしようものなら、顧客から「横着するな。すぐに来い！」とどやされることもあったでしょう。

しかし、オンライン会議が普及してから、必要なときだけ訪問する営業スタイルが広まりました。スケジュールの調整が必要だった訪問が、「明日、30分だけオンラインで打ち合わせできますか？」に変わったのです。

アフターコロナで元の生活に戻る面もあるでしょう。しかし、これだけオンライン会議が普及すれば、１００％元には戻りません。遠方まで移動するよりも、オンライン会議のほうがコストも削減できるからです。

クオリティソフトは以前からアドレスフリーに向かっていましたが、**コロナ禍によって世の中のリモートワークの流れが10年くらい前倒しに**なりました。

地方で暮らしたい人にとって追い風が吹くのはこれからも変わらないでしょう。

「地方で子育てしたい」と願う親たち

東京都では1997年以降、転入超過が続いていました。地方から東京へという人の流れが定着していたのです。

ところがコロナ禍で一転して東京都は転出超過になりました。リモートワークが普及したため、より快適な住環境・生活環境を求めて郊外や地方に移り住む人が増えたと考えられます。

ところが、2022年の住民基本台帳によると、再び東京都は転入超過に戻りました。東京以外でも、神奈川や埼玉、大阪、福岡など、大都市を抱える府県は転入超過になったのです。

ポストコロナの揺り戻しが起きていると考えられます。

ただ、コロナ禍前から地方への移住を考える人はじわじわ増えていました。とりわけ「大自然の中で子育てしたい」と考える親が少なくありません。

ＮＴＴデータ経営研究所の「都市地域に暮らす子育て家族の生活環境・移住意向調査」（２０１６年）によると、子どもの自然体験不足を認識している親は約3分の2を占めています。「地方への移住・転職をしたい」との回答は41・２％にものぼりました。これはコロナ禍の４年も前の調査です。

この数字を見ると、子育てのために地方に移住したいと考えている人はことのほか多いことがわかります。デュアルライフを送っている人も、子育て世帯が多いことがわかっています。

「できれば自然の中で子育てしたい」

そう考えている人は意外と多いのです。

田舎育ちは「空間認知能力」が高い

ここで気になるのが子どもの教育です。都市部と地方には教育格差があるといわれるからです。

たとえば、大学進学率をとると、地方よりも都市部のほうが高いことが知られています。とりわけ首都圏では中学受験が一般化しています。小学生が塾通いして受験に備えるという光景は長きにわたり定着しています。一方、地方の場合、自宅から通えるエリア内には公立中学校しか選択肢がないケースが圧倒的です。

だからといって、全国学力テストの結果を見ると、実は、必ずしも首都圏や関西圏といった都市部の子どもたちの学力が地方を凌《しの》いでいるわけではありません。地方の公立小中学校には実力のある教諭がたくさんいます。私自身、公立校の先生と接する機会がありますが、優秀で熱心な先生たちばかりです。少なくとも、公教育のレベルは都市部も地方も大きな差はないと考えます。

最近、都会部の出身者より田舎育ちの人のほうが優れた能力があることがわかってきました。

それは「空間認知能力」です。

東北大学大学院の細田千尋准教授によると、世界38カ国、約40万人に対する調査の結果、田舎育ちはナビゲーション能力が優れていることがわかったそうです。山や谷、川、森といった複雑な地形の中で遊んだ経験が空間認知能力を発達させるのです。**優れたエンジニアや建築家、外科医の人たちは、高い空間認知能力を備えている**といいます。

脳は大人になっても変化していきますが、子どものころに養った空間認知能力は生涯にわたって影響することもわかっています。

本書で何度も名前が挙がっている大谷翔平選手は岩手県出身。史上最年少三冠王のヤクルト・村上宗隆選手は熊本県出身。野球やサッカーといった高い空間認知能力が必要なスポーツで飛び抜けた活躍をする選手に地方出身者が多いのも、このことと無縁ではないかもしれません。

小規模校の問題も解決

田舎暮らしでは、買い物は何の問題もありません。インターネット通販で何でも手に入るからです。医療も大きな問題はない。問題があるとすれば教育です。

地方の大きな課題の1つが少子化です。子どもの人数が減ると、どうしても学校の統廃合が避けられません。

少し田舎に行くと、かつて小中学校だった校舎が別の施設として再利用されているのをよく見かけます。

児童・生徒数が少ない小規模校ではきめの細かい教育を実践できる一方で、大集団でもまれる経験ができません。多様な人とのコミュニケーションの機会も限られます。人間関係が固定化してしまうのです。

この問題については、リモートの技術が解決策を提示してくれます。テクノロジーによっていつでもどこでも仕事ができるようになったのと同じで、学びもリモートでできるはずです。学校同士をつないで授業ができれば、小規模校の課題解決につながるでしょう。

ここでクオリティソフトのマジカブランカの出番。実際に、和歌山県湯浅町の「学び舎の火を消さないプロジェクト」の一環で、小学校3校をマジカブランカでつないで、「遠隔合同授業」の実証実験を行ったのです。

遠隔合同授業の様子（クオリティソフトWEBサイトより転載）

マジカブランカなら、児童・生徒が挙手したり、他校のメンバーとグループを組んでグループワークしたりといったように、リアルの授業に近いことがオンラインで実現します。

さらに、校外にいる保護者が授業の様子をスマートフォンで視聴することも可能。つまり、リモート公開授業です。

また、地方の小規模中学校では、全教科の教員が揃わないことから、免許外の教科を教えざるをえないということがありますが、マジカブランカを使えば、免許を持っている先生が複数校を同時に指導することも可能です。

マジカブランカをうまく使えば、どこにいても最高の授業を受けられることになるはずです。仕事だけでなく、教育もアドレスフリーになれば、学力の問題もコミュニケーションの問題も、解決策が見えてくるのです。

職場にグリーンがあると幸福度が15％、創造性が6％上がる

アマゾンは、本社があるシアトルにまるでジャングルのような近未来オフィス「The Spheres（ザ・スフィアズ）」をつくりました。ここでは2万5000種以上の植物を育てているそうです。

経済競争力や教育力において世界でトップクラスの水準に躍《おど》り出たシンガポールは、国を挙げてビルの緑化を進めています。

大和ハウス工業は、多彩な植物のほか、川のせせらぎや鳥のさえずりなどの自然音を取り入れた研修施設を奈良市に開設しました。

ビジネス心理学を研究する米ロバートソン・クーパー社の調査によると、自然とのつな

がりを向上させた職場では、幸福度が15％、創造性が6％上がったそうです。

豊橋技術科学大学の松本博名誉教授らの研究でも、植物のあるオフィスのほうが、

「精神的ストレスが低くなる」

「心拍数が低くなる」

「知的生産性が改善される」

ということがわかっています。

緑豊かな環境は子どもの成長にプラスになるだけではありません。大人の幸せや生産性にもプラスに働くのです。


私自身、緑には徹底的にこだわっています。

クオリティソフトの白浜本社は海と緑という大自然に囲まれていますが、さらに緑の質を高める取り組みを行っています。

その主役は「グリーンの専任担当」です。きっと、グリーン専任担当を置いている企業は珍しいでしょう。

その担当者は、もともとは事務職で応募してきました。ところが、履歴書を見ると、イ

ギリスでガーデニングを学んだ後、オーストラリアのガーデニングの会社に勤めていた経験があるとのこと。グリーン専任担当を雇うコストを勘案しても、グリーンを育てることによる全社の幸福度や創造性のアップのほうがメリットが大きいと判断しました。

グリーン専任担当には、オフィス内のグリーンを育てるだけでなく、本社の敷地内の樹木や花畑も整備してもらっています。

とはいえ、自然の中で働ける人ばかりではありません。

そこで、仙台オフィスや松本オフィスなどでも社内にできるだけ緑を置くようにしています。

さらに、「プラントダービー」という取り組みも始めました。これは、鉢植えの植物の生育を各拠点間で競うもの。拠点内や拠点をまたいだコミュニケーションを活性化するとともに、植物がもたらす潤《うるお》いを再認識してもらうのが狙いです。カメラで定点観測して、まるで競馬のダービーのように楽しみながら、緑を育ててもらいたいと考えています。

椰子の葉のサラサラという音を聞きながら

リゾートなどで休暇を兼ねてテレワークを行うことをワーケーションといいます（45ページ）。国土交通省も推進しており、JTBや日本航空、ユニリーバ・ジャパンなどが導入しています。

全国のさまざまな自治体もワーケーションを後押ししています。

コロナ前の2019年には、人口約7500人の長野県信濃町《しなのまち》に「信濃町ノマドワークセンター」がオープンしています。リゾート地での新たな過ごし方として、ワーケーションが定着し始めています。

白浜町も、ワーケーションに力を入れていることで全国的に知られる自治体の1つです。クオリティソフトはその白浜町に本社があるわけですから、日常がワーケーションのようなものです。

白浜本社のすぐ目の前には、五色《ごしき》ヶ浜《はま》という三日月形の美しい浜辺が広がっています。

五色ヶ浜を眺めながら仕事をする社員

本社の中のオフィスは席を固定しないフリーアドレスですが、外に出て広々とした芝生の上だろうが、五色ヶ浜だろうが、高台の見晴らしのいい場所だろうが、どこでも仕事ができます。それこそ、自然の中の好きな場所で仕事する「ネイチャーノマドワーク」と言っていいでしょう。

2階のベランダで仕事をする人もいます。春と秋は、椰子《やし》の葉のサラサラという音を聞きながら仕事をするのは気分がいいものです。

地方にオフィスを置けば、非日常的なネイチャーノマドワークが日常的になるのです。

地元の人との交流はアイデアの宝庫

クオリティソフトは２００１年に自社ソフトウェアの検証拠点として南紀白浜を選びました。そのときは、本社を移転するのではなく、子会社を立ち上げました。いわば出張所です。

しかし、子会社では地元の人たちに大きなインパクトをもたらしません。実際、子会社だったころ、私たちは積極的に地元での活動に参加していませんでした。何となくお客さんのような立ち位置だったことは否めません。

それが、２０１６年に南紀白浜に本社を移転させたのを機に、この土地にしっかりと根づいて、地元と付き合っていこうと決心したのです。

その1つが、前述のイノベーション・スプリングス。ここに地域の人たちもどんどん入ってこられるようにしたのです。

また、チャレンジ48（68ページ）などを活用して、地元の小中学校のお手伝いをしたり、地元のマラソン大会ではボランティアを買って出たり、ビーチの清掃に取り組んだりしました。その過程で、和歌山県庁や和歌山大学とのつながりも深まりました。

最近は、地方に移住した人が地元とトラブルになるケースをよく耳にします。確かに、地方には地方の慣習が残っています。私たちも、それがわからずに地元のひんしゅくを買ったことがありました。

しかし、地元の人ときちんとコミュニケーションを図ると、お互いの理解が深まります。その結果、地元の人たちは積極的に協力してくれるようになるのです。

たとえば、イノベーション・スプリングスでイベントを開くと、参加者の多くはクルマで訪れます。そのとき、地元の方がボランティアで交通整理をしてくださることもあるのです。地域の人たちにとっても、企業が本社を構えることによって地域が活性化することをプラスにとらえてくださっているはずです。

一方で、私たちにとっても、地元の人たちとの交流はアイデアの宝庫でした。アナウンサードローンをはじめ、イノベーション・スプリングスでの交流によって新商品も生まれました。

第4章で、クラウドは割り勘効果が高いと述べましたが、社員食堂を一般に公開することも同じです。

社員食堂の運営にはコストがかかります。たとえば、社内の50〜60人の利用者では採算が合わないとしても、外の人たちが来てくださるおかげで利用者が増えると、基本コストを分担する人数が増えるので、「割り勘効果」が生まれるのです。

地域に開放しているからこそ、社員食堂を運営できている面があるのです。

東京に本社があったときも、もちろん他社の人たちとの交流はありました。しかし、多様な人たちとの交流は地方のほうが断然広くて深くて面白い。

自分の頭の中だけでアイデアを練ろうとするよりも、集まってきた人たちと情報交換しながらものをつくるほうが、より良いものができるはずです。

第4章で、経営とは「次に打つ手を増やす」ことだと述べましたが、イノベーション・スプリングスはまさに次に打つ手を増やす手段の1つです。

人との交流からさまざまなアイデアが生まれ、そのアイデアを実現するために手伝ってくれる人が集まってきます。

和歌山県内の小中高校の校長経験がある人たちも手伝ってくれていますが、これなどまさに、白浜にイノベーション・スプリングスがあるからこそ実現したことです。

都会には都会の刺激がありますが、地方には都会にはない自然や人とのつながりが生まれるのです。

「自給自足のIT企業」

「Think Globally, Act Locally.（シンク・グローバリー、アクト・ローカリー）」

多くの企業や団体、個人が、このフレーズを掲げています。

しかし、みんなフレーズ通りに、地球規模で考え、足元から行動しているでしょうか？

私が考える「足元」は、自分が今いる地域。まずはそこを軸にして考えるべきだと思っています。

第2章でもお話ししましたが、クオリティソフトはオーガニック食材や関連商品を取り扱う「たまな商店」というインターネット通販事業も手がけています。和歌山県の名産品や無農薬玄米、有機栽培野菜などの販売もしていて、和歌山県から日本を元気にしようと熱い気持ちでいます。

本社の敷地内にはまだ細々ですが畑もあります。

ここで採れた作物を「たまな商店」で扱う構想もありますが、これを社員や地域の人にも供給したいという気持ちもあります。つまり、いずれは「自給自足会社」にしたい。

国産クラウドやドローンといった世界とつながる最先端のビジネスを切り拓きながら、自分たちで食べる分は自分たちでつくる会社にしたい。

「自給自足のIT企業」

これが私の究極の目標です。

地域とともに、かかわる人たちすべてが心も体も健康になって、イキイキ暮らせる社会に貢献できる存在になりたいと考えています。

他拠点のエンジニアとやり取りする機会が多い

クオリティソフト　開発ギルド
入社2年目　24歳
専門学校卒

ＩＴの専門学校に通っていた私は就活のとき、ＩＴ企業を志望しました。和歌山に実家があるので、できれば県内で就職したいと思っていたのです。ところが、県内のＩＴ企業はごくわずか。大阪を含めて広く関西圏で会社を探しました。

まわりの同級生を見ていると、私と同じように地元で働きたいと思っている人が多かったと思います。しかし、県内の選択肢が少ないことから、結果的に大阪に出る人が大半でした。

就活の際、福利厚生をある程度は気にしました。ＩＴ業界ならプロジェクトの進捗によっては残業になるのも仕方ないと思っていましたが、メリハリを利かせて働けるかどうかが気になりました。正直、週休2日はあったほうがいいと思いました。

私は大阪を含めていくつもIT企業を受けた結果、内定を3〜4社もらいました。その中から、最終的にはクオリティソフトを選びました。

決めた理由は主に次の4つです。

1つ目は、実家のある和歌山県内にあること。

2つ目は、自社製品を開発している企業であること。IT業界には受託や請負、派遣といったいろんな業態があります。お客さまから依頼されてシステムを開発する仕事も面白そうだとは思いましたが、それよりも自社で企画から練り上げて開発し、商品をつくっていく仕事をやりたいと思いました。

3つ目は、イノベーション・スプリングス（44ページ）やたまな商店（67ページ）など、システム開発以外のさまざまな活動を通して地域に貢献していること。自社の利益を広く社会に還元していることにひかれました。

最後に、オフィス環境です。会社説明会で、白浜本社をドローンで空撮した映像を見ました。海沿いの広々とした緑豊かな敷地がとても魅力的でした。オフィスの中の椅子や机もステキなデザインで、使い心地が良さそうでした。エンジニアは座り仕事なので、椅子や机はとても大事です。

実際に入社してみて感じたのは、人間関係の良さです。10代から50代まで幅広い年齢層の社員がいますが、とてもフラットな人間関係で何でも相談しやすいですね。上司だからといって話しかけづらいことは一切ありません。

私がかかわっている今のプロジェクトは松本や東京のエンジニアとチームになって進めています。マジカブランカ（129ページ）は常時接続されているので、他拠点のエンジニアと交流する機会も多いですね。

働く環境は開放的でとても快適。一歩外に出れば大自然が広がっていて気分転換になります。たとえば、敷地が広い白浜本社には畑があります。敷地内でバーベキューをしたときは、畑で採れたタケノコを焼いて食べました。

私は入社を機に白浜に住み始めましたが、やはり自然が豊かなのがいいですね。アパートから白良浜《しらら》まで徒歩15分くらい。熊野古道や那智《なち》の滝などにもクルマで行ってみました。これから紀南地域の世界遺産にもっと足を延ばしたいですね。

第7章

会社の中に活躍の場を見つける

理念は、問題があったときに立ち返る場所

会社のことを調べるとき、まずはその会社のホームページをチェックすることでしょう。多くの会社はそこに「企業理念」を掲げています。私は、会社の姿勢を見極めるには、この企業理念を読み解くのが一番だと思います。

とはいえ、どの会社の企業理念も同じように見えるかもしれません。「顧客は二の次」「社員は奴隷だ」なんて理念を掲げる会社はもちろん皆無。どの会社も「顧客満足度を追求します」「社員の幸せが一番です」などと美しい文言を並べています。一見すると、違いがよくわからないでしょう。

しかし、よく見てみると、その企業の姿勢が浮き彫りになります。

たとえば、クオリティソフトの理念の真ん中に記している主語は「私たちは」です。「クオリティソフトは」でも「弊社は」でもありません。

会社が主体ではなく、あくまでも社員たちが主体だということを表現しています。

この表現は、理念を考えているときにある幹部からの提案によって決まりました。

その幹部は、大手電機メーカーなどに勤めた経験があり、「企業理念のことを押しつけっぽく感じられることがあった」と言うのです。

「社員が自主自立のもと、幹部に指示されなくても自分たちがワイワイ話しながら決めていくんだ、という理念にしたい」

「わかった、それでいいよ」

私も同感でした。

このように、クオリティソフトの主語が「私たちは」になっているのと同じく、表現の細部にこそその企業の姿勢が表れているのです。

有名企業の理念をいくつか見てみましょう。

京セラは「全従業員の物心両面の幸福を追求すると同時に、人類、社会の進歩発展に貢献すること」。私利私欲に走るのではなく、精神性の豊かさも追求している京セラらしい姿勢がうかがえます。

島津製作所の社是は「科学技術で社会に貢献する」。技術だけでなく「科学」の文字が入っているところに、現役サラリーマン初のノーベル賞受賞者（化学賞の田中耕一さん）を輩出した企業らしさがうかがえます。

ニトリは「ロマン　住まいの豊かさを世界の人々に提供する」と、理念の冒頭に「ロマン」を掲げている珍しい企業です。

グーグルは「10の事実」を掲げています。「ウェブ上の民主主義は機能する」「悪事を働かなくてもお金は稼げる」「スーツを着なくても真剣に仕事はできる」など、グーグルらしさ満載です。

理念は、何か問題があったときに立ち返る場所です。

社員が判断に迷うことがあったとき、その指針になるのが理念なのです。

「面白いことやろう　デカいことやろう」を掲げているクオリティソフトは、前にも書きましたが、面白さを優先するがために利益の最大化を犠牲にすることがあるかもしれません。それでも、迷ったら面白いほうを選択しよう、というメッセージを送っているのです。

一方で、平均年収が２０００万円を超え、「日本一給料が高い会社」ともいわれるキーエンスは「最小の資本と人で最大の付加価値をあげる」と宣言しています。利益を最優先にしているわけです。

面白いもので、採用活動をしていると、本当に理念に共感した人たちが集まってくるようになります。「面白いことやろう」と掲げると、本当に好奇心旺盛な人たちが集まってくるのです。

ということは、働く側からすると、理念に共感した会社を選べば、同じような志向の仲間たちと一緒に働けるということです。

価値観がまるで異なる人たちと働くよりも、同じ方向を向いている人たちと働いたほうがストレスが少なくてすむでしょう。**理念に共感できる職場を選べば、居心地良く仕事ができる**はずです。

先に与える人は、与えられる人

常に自分の利益を優先するテイカー。

まず相手に与えるギバー。

損得のバランスを取ろうとするマッチャー。

この3つのうち、最も成功するのはどのタイプの人だと思いますか？

「現代アメリカのプラトン」と呼ばれる組織心理学者アダム・グラントは著書『GIVE&TAKE「与える人」こそ成功する時代』（監訳・楠木建、三笠書房）で、最も成功するのも、最も成功から遠いのもギバーだと述べています。

自分の利益を追求しなければ、厳しい競争には勝てないというイメージがあるかもしれません。ところが逆なのです。**ギバーこそが最も成功する**のです。

クオリティソフトのイノベーション・スプリングスもそうです。「PC・ネットワークの管理・活用を考える会（PCNW）」もそうです。私も常にギブファーストで、お金はあとから付いてくると考えています。「場」を提供して、横でお話を聞かせていただくだけでラッキーだという姿勢でいます。

時間と場所を提供すれば、お客さんが来てくれて、本音をしゃべってくれる。

ギブファーストだからこそ、返ってくるものも大きいのです。最初からテイクしようとしている相手に、人は本音を話してくれません。

成功哲学の第一人者であるナポレオン・ヒルは「プラスアルファの魔法」を説いています。プラスアルファの魔法とは、**期待されていることよりも上のことを先に1つ与えることが成功につながる**、というものです。

見返りを期待するのではなく、まずは自分から与えること。これがめぐりめぐって大きなプラスとなって自分に返ってくるのです。

「自分がやりたいことの輪」と「会社が求めることの輪」

第5章で就職と就社の関係について触れました。

就社ではなく就職となると、「自分がやりたいことは何か?」を考えて職を選ぶことになります。

「自分がやりたいこと」と「会社が求めること」。この2つが完全に一致しているのがべストであることは言うまでもないでしょう。しかし、そんな会社は簡単には見つかりません。

「自分がやりたいことの輪」と「会社が求めることの輪」の2つが重なり合う部分が大きい会社を選ぶこと。これがセカンドベストでしょう。

ところが、いざ会社に入ってみると、能力の高い人材ほど出世してマネジメントの役割を求められるようになります。マネジメントが得意な人ならそれでもいいかもしれませんが、ことITエンジニアの場合、技術力が高いからといってマネジメントが得意とは限りません。逆に、技術はそれほど得意でなくても、マネジメントや調整が得意という人材もいます。

そのためクオリティソフトでは、縦型ヒエラルキーをなくして「ギルド組織」へと移行したわけです。

先述のように、これには社内から猛反対がありましたが、面白いこと、やりたいことができるようにするために断行しました。

面白いこと、やりたいことは、新しいポジションではなく新しい事業を生みます。ギルド組織から、新しい企画者が誕生し、プロジェクトの遂行者が現れ、責任者が育つ。固定化したポジションをなくせば、人もアイデアもどんどん新陳代謝して新しいものが生まれるのです。

ＲＥＳが２０２２年に実施した「Ｚ世代の出世感・資産に関する意識調査アンケート」によると、「出世したくないし、成功もしたくない」と答えた人が23％も占めました。

これからは、役職を上げていく旧来型の出世競争の時代ではありません。「社会への貢献」と「自らの成長」の時代だと私はとらえています。

ゲームが好きな人は、寝る間も惜しんでゲームにのめり込みます。好きなこと、楽しいことなら寝食を忘れて夢中になれるのです。

仕事も同じです。やりたくもなくて、適性もないようなマネジメントを無理してやる必要はありません。ギルド組織なら、一人ひとりのやりたいことと会社が求めることのすり合わせがしやすくなります。ＩＴエンジニアはやりたくて得意な技術だけに集中すればいいので、生産性も極めて高くなります。**自分がやりたいことで輝くというのがこれからの**

働き方なのです。

経理職の採用に応募してきた「経理未経験」の女性

「経理職の採用に応募してきた人がいましたが、経験がなかったので断りました」

採用担当の社員からそう言われて、履歴書を渡されました。私はそれを読んで、慌ててこう伝えました。

「この女性、採用だよ。もう一度連絡してみて！」

確かに、彼女は経理の経験がありませんでした。しかし、履歴書には東京の有名ＩＴ企業で人事の経験があると記されていました。

もう一度面接をすると、実家のある和歌山県に戻ってきていて、仕事を探しているとのことでした。ところが人事の仕事が見つからなかったので、仕方なく経験のない経理で応募したそうです。彼女と話してみると、優秀な人材であることがわかりました。

彼女を人事担当として採用したところ、今では執行役員に昇格し、人事全般を取り仕切る存在になりました。

彼女がたまたま白浜近辺で仕事を探していたから、採用することができました。東京では、中小企業がなかなか採用できるレベルの人材ではありません。地方だからこそ、採用できたと言っていいでしょう。

第6章で紹介したグリーン専任担当も、もともとは事務職で応募してきた人材です。ほかにも、開発で応募してきた人材をデザイナーとして採用したこともあります。

自分の持ち味やスキルを生かしたくても、そのチャンスが見つからないこともあるでしょう。会社側が一人ひとりの能力を生かしきれないケースもあるはずです。自分自身で道を切り拓くことも大事ですが、適材適所に人材を配置して、一人ひとりの能力を引き出そうとする会社を選ぶことも大事なのです。

なぜコーヒーをまったく飲まずに喫茶店を後にしたか?

ある成功した経営者が喫茶店に入ってコーヒーを注文したときのことです。

しばらくしてウェイトレスがコーヒーを運んできました。

しかし、その経営者はそのコーヒーを口にすることなく席を立ち、レジで代金を払って店を出たといいます。

なぜ、その経営者は出て行ってしまったのでしょうか？

ウェイトレスの対応がまずかったのでしょうか？

それとも、コーヒーに虫でも入っていたのでしょうか？

経営者が出ていったのは、自分の隣の席でプリプリ怒っている人がいたからです。

周りに不機嫌な人がいたら不愉快です。こちらまでイライラしてしまいかねません。マイナスの感情が伝染する恐れがあるのです。

その経営者は常にハッピーな気持ちでいたいから、コーヒーに手を付けずにその場を後にしたのです。

ジョセフ・マーフィーやナポレオン・ヒルらの成功哲学の多くは、成功をイメージすることや楽観的になることを説いています。

ワクワクしていないと、やりたいことを実現する能力は上がりません。

「ここに到達したい！」という願望を持ちながら、「どうせ無理だ……」とネガティブに考えていたのでは、達成できないのです。

常にハッピーで、ワクワクしている。これで願望の実現能力が高くなるのです。

朝の満員電車で誰かに足を踏まれ、一日中不機嫌でいたら大損。そんなことはすぐに忘れ、ハッピーな気持ちになれば、願望を実現するためのエネルギーもアップします。

「**幸せは手段**」

私は、そう思っています。幸せになることが人生の目的だと当たり前のように思われていますが、私のとらえ方は違います。幸せは目的ではなくて、願望を実現するための手段にすぎないのです。

自分の願望を実現するために、ハッピーにならないといけない。ハッピーになれば、下らないことなんてすぐに忘れられます。他人に嫌なことを言われても、ずっと引きずることはありません。

幸せを手段だととらえたら、気が楽になります。

重要なのは願望があること。

論語に、

「朝《あした》に道《みち》を聞《き》かば夕《ゆう》べに死《し》すとも可《か》なり」

という一節があります。朝、自分の使命を知ることができれば、その日の夕方に死んでも悔いはない、という意味です。

幸福ですら、この願望を実現するための手段なのです。願望を実現した先に幸福があるわけではありません。

それならば、どうすれば幸福になれるのでしょうか？

人に親切にし、人に感謝すれば、幸福になります。実は、他人に思いやりを持つことも、成功哲学の多くに共通する点です。

自分のやりたいことのために幸福になるのです。

私にも腹が立つことはあります。

しかし、「あんな人と付き合いたくないな」と思ってしまっては、幸福になれません。「いかん、このままでは自分のやりたいことを実現できない」と思い返し、その人に感謝するようにしています。

Design your time, design your life

アドレスフリーやギルド組織といった新しい働き方へと転換していくと、仕事に限らず暮らしそのものの自由度が大きく広がります。その先にあるのは次のようなスタイルです。

「Design your time, design your life」
（デザイン・ユア・タイム、デザイン・ユア・ライフ）

自分の時間を自分でデザインすれば、自分の人生を自分でデザインできるようになるのです。

これまでは、勤務時間は会社が決めていました。9時から18時（休憩1時間）の8時間労働というのが今でも一般的です。

近年はフレックス制を導入する企業が増えてきました。これは、出退勤時間を自分で柔軟に決められる制度。「この時間は必ず出社してね」というコアタイムを設定するのが主流でしたが、今は完全フレックス制の会社も出てきました。

自分で時間をデザインできる部分が広がってきましたが、それでも会社が時間の大枠を設定していることに変わりはありません。

働く場所も、リモートワークが浸透したとはいえ、第4章や第5章でもお伝えしましたが、コミュニケーションや生産性などの問題が指摘されています。

Design your time, design your life を実現するためには、まだ道半ば。裏づけとなるシステムが必要なのです。

クオリティソフトはエンドポイントセキュリティを手がけてきました。エンドポイントセキュリティとは、社用で支給されたパソコンやスマートフォン、クラウドシステムなどをサイバー攻撃から守ることです。

さらに、この技術を応用して、楽しく仕事ができて、生産性を上げられるようなシステムをつくる。

それが127ページでも触れた「エンドポイント・エンパワーメント」です。これは、ひと言でいうと「仕事そのものを管理するシステム」。時間や場所を管理するのではありません。

アドレスフリーでは、「どこで仕事をしてもいい」「いつ仕事をしてもいい」のですが、そのままではマネジャーがメンバーの状況や進捗具合を把握できません。

エンドポイント・エンパワーメントによってマネジャーとメンバーがつながっていれば、メンバーがどこにいても、それらがひと目でわかります。

だから、メンバーは仕事をきちんとこなしてさえいれば、海で泳いでいても、子どもと公園で遊んでいても、犬の散歩をしていても、うしろめたさを感じずに仕事ができます。

「エンドポイント・エンパワーメント」のシステムが、Design your time, design your life を実現する。

そんな未来がもうすぐそこまで来ています。

【コラム】ビジョンとミッションの微妙な関係

企業理念は大きく、ミッション、ビジョン、バリューの3つに分けられます。


ミッションとは、企業が果たすべき使命のこと。

ビジョンとは、将来の到達イメージ。

バリューとは、組織が共有すべき価値観。


この3つはどのような関係なのか、おとぎ話の『桃太郎』を例に考えてみましょう。

桃太郎のミッションは何でしょうか？

「鬼退治」のようですが、実は違います。中長期的なビジョンが鬼を退治することです。

不変のミッションは「村の平和を守ること」。

村の平和を守るというミッションのために、鬼退治というビジョンを掲げているのです。

バリューはチームワークでしょう。イヌやサルやキジを集めて、うまくマネジメントしないと鬼を退治できません。

それでは、ミッションとビジョンのどちらが上位概念かというと、どちらともいえません。企業によって異なるからです。

超大手企業は、歴史的に国を背負わなければいけないというミッションがあります。社会に果たす役割が大きい。その大きなミッションを実現するために、10年後、20年後のビジョンを掲げるのです。

一方、小さな会社は「こうなりたい」「こうありたい」という思い、つまりビジョンを先に掲げるほうが自然です。みんなで共有できるビジョンありきで、その次にミッションが来るというわけです。

第8章

カムイ・パパイヤ・アホーイヤで人生は日本晴れ

強い思いは確率すら変えてしまう

私がまだ音響機器メーカーに勤めていたころ、赴任先のアメリカに向かう飛行機での出来事です。

離陸前にエンジントラブルがあり、いったん降ろされて2時間くらい待つことに。点検が終わり、再び搭乗すると、向かいの席に座ったのはキャビンアテンダントの女性でした。

彼女の名札を見て、わが目を疑いました。

「ひょっとして、あなたは和歌山の出身ですか？」

「そうです。あの……、高校の先輩ですか？」

「いいえ、中学です」

彼女は私のことを覚えていませんでしたが、私は彼女を忘れていませんでした。

彼女は、私が中学3年のときに入学してきた、飛びっきりかわいい新入生だったからです。彼女の顔と名前は私の脳裏に焼きついていました。

国際線の飛行機に乗るのははじめてのことでしたが、彼女も国際線は初フライトとのこと。当初はこの機に搭乗する予定はなく、もしものときの交代要員として待機していたのですが、エンジントラブルでクルーが総入れ替えになり、初フライトのチャンスがめぐってきたといいます。

中学を卒業してから9年、しかもはじめて乗る飛行機の目の前の席に座るなんて、なんという偶然でしょうか。私は心のどこかで、彼女にまた会いたいと願っていたとしか思えません。

以前、プリンストン大学で乱数発生器への念力作用について研究が行われたことがあります。

乱数発生器とは、電子的な雑音を0と1に変換する装置のこと。全世界に100台の装置を配置し、乱数データをインターネット経由でプリンストン大学のサーバに取り込む形で実験が行われました。

通常は0と1が出る数はそれぞれ同じ（確率は2分の1）ですが、大きな事件や出来事が起きたとき、乱数が大きく偏る傾向があることがわかったのです。たとえば、2001

年9月11日のアメリカ同時多発テロの当日は、その前後60日間と比べて、明らかに偏ったデータが記録されました。

このプロジェクトに参加した明治大学の石川幹人教授の実験では、青森のねぶた祭でも乱数の偏りが出たといいます。また、プロ野球の試合でも、ゲームの流れによって乱数の偏りが出たというのです。

テロとプロ野球を一緒に考えるのは不謹慎かもしれませんが、テロリストやファンの強い思いが乱数に影響を与えた可能性は否めません。

そう考えると、人の強い思いや願いは、何らかの形で現実に影響を与えることもあるのではないでしょうか。

「カムイ・パパイヤ・アホーイヤ」の結果は14勝3敗

強く願うと実現する——私がそう思うようになったきっかけは、ほかにもあります。

以前、私が入っていたロータリークラブのメンバーたちが「浦さんがいる和歌山に遊びに行こう」と、高野山観光に来ることになりました。メンバーは20人ほど。週末の土曜日に新大阪駅からバスで高野山に入り、1泊して翌日曜日に高野山とその周辺を観光して帰るというスケジュールです。

ところが、金曜日時点の天気予報では、土曜も日曜もずっと雨でした。

土曜日、一行は高野山入りしましたが、案の定、雨が降っていました。

土曜日の時点でも、翌日曜日は雨予報。

私はメンバーと合流して、高野山に宿泊しました。翌朝、5時に目が覚めた私はカーテンを開けて窓の外を見てみました。

目に飛び込んできたのは、雨どころか暴風雨でした。

6時からお勤めがあるので、私は5時50分に本堂に入り、和尚《おしょう》さんのちょうど後ろに正座しました。

「**カムイ・パパイヤ・アホーイヤ**」

私は目をつぶって、このフレーズを心の中で繰り返し唱えました。

これは、アイヌ語で「明日天気になあれ」というお祈りです。次第に外国人観光客がぐるっと私のまわりに座り始めました。しばらくすると、日本人も集まってきました。

「明日ではなく、今天気になってほしい」。私は青空をイメージして、一心に「カムイ・パパイヤ・アホーイヤ」を唱え続けました。

6時40分ごろ、和尚さんはお勤めの後の講話を終え、今度は英語で講和を始めました。私は正座でしびれた足を解いて、あぐらをかき、引き続き「カムイ・パパイヤ・アホーイヤ」を唱えました。

7時に英語の講和が終わり、本堂の外に出てみたら……。吹き荒れていた暴風雨が静まり返り、雨が止んでいるではありませんか。11時になると、青空に。私の仲間は無事に高野山観光を楽しめたのです。ちなみに、旅のスケジュールの最後が道の駅での買い物。夕方4時ごろ、バスが道の駅に到着して、駐車場に停まる直前、突然雨が降ってきました。土砂降りでした……。

次のようなエピソードもあります。歌手の故・おおたか静流《しずる》さんが和歌山県にコンサートに来られたとき、「かわべ天文台」で星を見る会を開く予定でした。ところが、前日の天気予報は雨。前日の夜11時に参加予定者みんなで示し合わせて、各所で「カムイ・パパイヤ・アホーイヤ」と青空をイメージして10回唱えました。すると、翌日の午後になると晴れて、会場の展望台から眺める青空の中に龍の形をした雲が出たのです。

私はこれまで、ここぞというときに「カムイ・パパイヤ・アホーイヤ」を唱えてきました。

結果は14勝3敗。勝率は83%。

果たして、これを迷信や偶然と言えるでしょうか？

すてきな偶然に遭遇することは「セレンディピティ（偶然の発見）」といわれます。

これはスピリチュアルの世界の話ではありません。

自分が強く願うことによって不思議な力が働き、自分自身の夢が叶えられるのです。

私が思い続けた後輩と再会できたように。

「カムイ・パパイヤ・アホーイヤ」と唱えると晴れるように。


あなた自身がどういう働き方をしたいのか？

自分がワクワクする働き方をイメージして、強く願い続けてみてください。

そのことによって、あなたの行動が変わり、そのイメージ通りの働き方が叶う可能性があるのです。

偶然を味方に付けるには？

私が経営者になったのも、偶然といえば偶然です。というのも、私は若いころから絶対に経営者にはならないと心に決めていたからです。


私の父は大の商売好きでした。

芝居や映画の興行からアイスキャンディー屋、せんべいづくりまで、いろんな商売をやっていました。

しかし結局、借金を残して他界しました。

私には兄が2人いますが、私を含めた3兄弟全員が「人に給料を払うような身には絶対にならない」と心に誓ったのです。

それなのに、私はなりゆきで会社をつくってしまいました。第4章で述べましたが、当時の凸版印刷から「大きな仕事を出すから、法人化してほしい」と頼まれて、会社を立ち上げたのです。父親を見ていたので「借金したら身が持たない」と思っていましたが、新しい仕事にチャレンジしたいという好奇心には勝てませんでした。

私が会社を立ち上げたことを知った兄たちからは「お前、会社なんてつくって、何考えているんだ!」とどやされました。ちなみに、2人の兄はそれぞれ石油化学メーカーの会社員と医者で、初志貫徹で経営者にはなりませんでした。

クオリティソフトは、いわば「たまたまできた会社」なのです。それでも40年続いています。

心理学者のジョン・D・クランボルツの「計画的偶発性(プランド・ハップンスタン

ス）理論」というキャリア論によると、**キャリアの8割は偶然によって形成される**そうです。

ただし、クランボルツは幸運が舞い込むのをただ待っていればいいと言っているわけではありません。偶然を意図的に生み出せるように行動すること、そして偶然の出来事を主体的に活用することでキャリアが拓けるといいます。

そのために必要な資質は「好奇心」「持続性」「柔軟性」「楽観性」「冒険心」の５つです。

私自身、小さなころから好奇心が旺盛すぎるくらい旺盛でした。「何で？　何で？」と質問攻めにするので、よく親から「うるさい！」と怒られたものです。

今でも好奇心が旺盛だからか、面白そうなところに自分から分け入っていきます。すると、いつの間にか誰もが知るような大手企業の社長からベンチャーの旗手、著名な学者、ユーチューバー、政治家、知事まで、いろんな人たちと親しくなっています。私は、こうした出会いを面白がりながら、多くを学ばせてもらっています。もちろんビジネスチャンスも広がります。

楽観性や冒険心も持ち合わせていると思います。

たとえば、10年ほど前にペルーを旅行しましたが、日本と首都のリマとの往復チケットだけを持って、ホテルも交通機関も予約せずに現地に入りました。出たとこ勝負の楽しいひとり旅でした。

寝る間も惜しんでやりたいことを見つけよう

私は中学生のころ、英語が得意でした。

ところが、高専2年のとき、試験で100点満点中47点を取ってしまったのです。

「こりゃいかん」と、リーディングの教科書を録音したテープを毎日聞いて文章を丸暗記しました。

すると、ある日、英語で考えている自分に気がついたのです。

「しめた、これだ！」

以来、この勉強法を続けたら、とくに試験勉強をしなくても英語はいい成績を取ることができました。

音響機器メーカーに入って海外研修の試験を受けたときも、海外人事の課長が「浦君はアメリカ人の友だちがいるの？」と聞いてきたほどです。

私は一度も英語の勉強にお金を使っていません。ひたすら聞いて覚え、真似してしゃべっただけです。

私は英語が好きです。

好きなことなら熱中できます。

熱中すれば、いつかものになるのです。

私は英語に熱中したことが、海外研修につながり、アメリカの大学を卒業することにつながりました。今でも英語で情報収集をしていて、世界を見る目も広がりました。


人気職業の1つであるユーチューバーの場合、人気のある動画はせいぜい20〜30分の長さですが、そこに至るまでの企画や撮影、編集などに膨大な時間をかけているといいます。それだけの労力をかけているからこそ、多くの人に見てもらえるのです。

どんなことでもかまいません。寝る時間を惜しんでまでもやりたい、ということを見つけ、それに向かって邁進《まいしん》したら、人生はとてつもなく面白くなります。人生をありえないほど楽しめます。そして、きっと大きく成功すると思います。
好きこそものの上手なれというのは、本当にその通りだと思います。
好きなことを見つけ、アドレスフリーで働けば、人生はさらに豊かになるのです。

あとがき

目の寄るところに玉が寄る

「つかぬことをおうかがいします。お金にならないことを、浦社長は何のためにやっているんですか？」

私は、よくそう聞かれます。

確かに「ＰＣ・ネットワークの管理・活用を考える会（ＰＣＮＷ）」は完全に持ち出し。参加する方からはお金を頂戴しません。イノベーション・スプリングスでのイベントも多くが持ち出しです。

聞かれた私はこう答えます。

「人が集まってくれるから」

以前、ある人に次のような言葉を教えてもらいました。

「目の寄るところに玉が寄る」

その人によると、目は人、玉はお金を指し、「人が集まる所にお金が集まる」という意味とのことでした。

後で調べてみると、一般的には「似たもの同士が集まる」という意味で使われているようです。しかし、私はその人に伝え聞いたままに解釈しています。

玉はお金のことですが、今なら情報も含まれるでしょう。

人が集まる所に情報が集まります。

情報が集まれば、アイデアが生まれます。

アイデアが生まれれば、新たなビジネスが生まれます。

ビジネスが生まれれば、いつかお金になります。

「あそこに行くと、何か面白いことがありそうだよね」

そう思ってワクワクした人たちが集まることによって、イノベーションが生まれるのです。

これこそ、イノベーション・スプリングスを立ち上げた理由でもあるのです。最初からお金を求めたら、人は集まりません。
お金は後から付いてくるのです。

願望を叶えてほしい

お金はもちろん大事ですが、とくに若い人は、お金のことを考える前に、まず自分がワクワクすることを見つけてほしい。そのワクワクを突きつめていけば、後から自然にお金は付いてきます。

電通若者研究部が実施した「若者まるわかり調査2019」によると、「頑張っている姿を人に見られることは、恥ずかしくない」と回答したポイントは、2017年の同調査より高くなっています。とくに若い世代ほど高い傾向です。SNSやユーチューブなどが発達した影響で、自分自身が熱を入れて取り組んでいることを発信できる機会が増えたことも、その一因でしょう。ブログやX、ユーチューブなどの場合、フォロワー数や視聴者数が多いと、広告収入にもつながります。

今、働き方は大きく変わっています。

会社で働く場合、これまでは会社が働き方を決めていました。

しかし、これからは自分のワクワクにしたがって、自分で決める時代です。

本書が、あなたが望む働き方を手に入れる一助になったのなら、これ以上の喜びはありません。

ぜひ、幸せすら手段にして、自分自身の願望を叶えてほしいと思っています。

最後に、多くの人たちとの出会いなしに本書をまとめ上げることはできませんでした。取引先のみなさまをはじめ、地域の方々、そして社員ら、クオリティソフトにかかわるすべての方に感謝します。

最後までお読みいただき、ありがとうございました。

自分自身の人生を振り返って、ほんとうに大切だと思う4つのことを挙げて、締めくくりとさせていただきます。

1. 寝る間を惜しんでもやりたいと思えることを見つける。
2. 英語に限らず、外国語を学ぶ。
3. 因果応報。天は見ている。
4. 成し遂げたいことを思い続けると成就する。

浦　聖治

2024年1月

浦 聖治（うら きよはる）

クオリティソフト株式会社代表取締役 CEO。1952 年、和歌山県串本町和深《わぶか》生まれ。和歌山工業高等専門学校電気工学科卒業後、音響機器メーカーに入社。'84 年に独立し、科学技術文書の翻訳会社を設立。ネットワークライセンス管理ソフト「KeyServer」の日本語翻訳を受託し、のちに同ソフトの販売を開始する。'98 年、IT 資産管理ツール「QND Plus」を自社開発し、販売。2001 年、ソフトウェアの検証業務のため和歌山県に株式会社エスアールアイ設立。'07 年、クラウド型セキュリティーサービス「ISM CloudOne」の販売を開始。自宅でもカフェでも仕事ができる仕組みを提供する。'10 年、ソフトウェアのライセンス販売から、サービスの定額課金（サブスクリプション）にシフト。'21 年、「The Cloud Company」を宣言。クラウドを中心に企業活動を展開している。

アドレスフリーという働《はたら》き方

なぜ「好《す》きな場所《ばしょ》」で仕事《しごと》をすると成果《せいか》が上《あ》がるのか

2024年1月30日　初版 1 刷発行

著　者　浦 聖治

発行者　三宅貴久

発行所　株式会社光文社

〒112-8011　東京都文京区音羽1-16-6

電話　編集部 03-5395-8147　書籍販売部 03-5395-8112　業務部 03-5395-8125

落丁本・乱丁本は業務部へご連絡くだされば、お取り替えいたします。

印刷所　萩原印刷

組　版　萩原印刷

製本所　ナショナル製本

ISBN 978-4-334-10202-9